LES DISCUS

M. Salvadori

LES DISCUS

De Vecchi

Je tiens à remercier tout particulièrement mon ami M. Paolieri qui m'a fourni quelques-unes des diapositives présentes dans ce livre et qui m'a aidé à choisir les variétés de discus à décrire.

Dessins de M. Ameli

Traduction de Frédéric Delacourt

© 1998 Éditions De Vecchi S.A. - Paris
© 2006 Nouvelle édition - Éditions De Vecchi S.A. - Paris
Imprimé en Italie

Sommaire

Introduction

Combien d'entre vous n'ont pas eu envie, au moins une fois pendant leur « carrière d'aquariophile », de posséder ces poissons fantastiques ? Je parie qu'il n'y en a pas beaucoup. En ce qui me concerne, je les ai d'abord observés pendant des années et ai toujours désiré sincèrement en posséder quelques-uns, mais j'ai été si longtemps freiné par ce que j'entendais sur les difficultés de leur élevage que j'ai fini par éprouver pour les discus une sorte de crainte mêlée de respect. Aujourd'hui, avec tout ce que j'ai appris, je peux affirmer que ma crainte était en partie justifiée et que certaines « légendes » qui accompagnent ces poissons sont vraies. Je suis toutefois tout aussi convaincu qu'avec un peu d'expérience en aquariophilie et de bonnes connaissances de base, le discus peut égayer de sa présence l'aquarium de n'importe quel passionné.

Le seul risque que vous courez est d'être atteint de « discusmania », une maladie contagieuse qui se propage rapidement et dont on guérit difficilement. Moi qui suis personnellement touché par cette maladie sous sa « forme chronique » et incurable, je suis bien placé pour conseiller à tous ceux qui l'ont contractée la seule forme de réconfort possible : il faut élever autant de discus que l'espace dont on dispose le permet pour pouvoir les observer, les comprendre et les admirer plusieurs fois par jour. Vous verrez, surtout si vous parvenez à les faire se reproduire, que cette maladie est une des seules à pouvoir procurer autant de satisfactions.

Il faut essayer pour y croire !

Généralités

La classification

Les discus, qui appartiennent à la famille des Cichlidés, portent le nom scientifique de *Symphysodon* en raison de la présence de dents (du grec *odon*) sur leur symphyse mandibulaire (du grec *symphysis*).

Symphysodon aequifasciatus aequifasciatus (*« discus vert »*)

Le genre *Symphysodon* a été établi pour la première fois en 1840 par Heckel qui y a inscrit l'espèce *Symphysodon discus* (« heckel discus »).

Plus tard, en 1903, Pellegrin a décrit une autre espèce de *Symphysodon* à laquelle il a donné le nom de *Symphysodon aequifasciatus* et qui comprend d'ailleurs tous les autres poissons appelés communément discus.

Selon de nombreux taxinomistes (spécialistes qui se consacrent à la classification des êtres vivants, animaux et végétaux), cette seconde espèce comprendrait trois sous-espèces :

– *S. aequifasciatus aequifasciatus*, vulgairement appelé « discus vert » (« green discus ») ;
– *S. aequifasciatus axelrodi*, connu également sous le nom de « discus brun » ou « marron » (« brown discus ») ;
– *S. aequifasciatus haraldi*, connu sous le nom de « discus bleu » (« blue discus »).

En réalité, la systématique de ces poissons n'est pas aussi simple et fait encore l'objet de nombreuses discussions. En effet, comme nous le verrons dans le prochain paragraphe, les variations de couleurs entre deux sous-espèces ne sont pas toujours très nettes et il existe dans la nature des poissons qui présentent des caractéristiques intermédiaires propres à chaque *S. aequifasciatus* : ainsi, pour certains scientifiques, on ne devrait parler que de simples variations chromatiques (ou bien géographiques si l'on tient compte de leur zone de provenance) d'une même espèce. Pour d'autres spécialistes, on ne devrait même pas faire la différence entre le *S. aequifasciatus* et le *S. discus*.

Les passionnés de discus se réfèrent en général à la classification proposée par Schultz en 1960, qui prend en compte les sous-espèces de *S. aequifasciatus*. Étant donné que cette classification est utilisée par la plupart des importateurs, qui travaillent notamment avec l'Amérique du Sud, c'est donc celle-ci que j'utiliserai dans les pages qui vont suivre.

Morphologie du genre *Symphysodon*

Les *discus* comme les *aequifasciatus* (et non *aequifasciata* comme on le voit souvent écrit par erreur, étant donné que *Symphysodon* est du genre masculin et que, si l'on se réfère à la grammaire latine, le genre de l'espèce doit l'être aussi) ont une forme discoïdale très aplatie. Leur corps est doté d'une nageoire dorsale en haut et d'une nageoire ventrale en bas, toutes deux formées de deux rayons durs et d'un nombre beaucoup plus important de rayons mous ; la nageoire caudale située à l'arrière est reliée au corps par un pédoncule caudal court et solide mais peu visible. On remarque aussi la présence de deux nageoires pectorales, formées de rayons durs et de quelques rayons mous, qui forment des triangles allongés, souvent de couleur rouge vif ; les nageoires latérales transparentes, qui sont attachées juste derrière l'opercule branchial, constituent la paire de nageoires la plus importante pour la locomotion.

Le *S. discus* présente de 46 à 56 écailles (pour certains de 44 à 48) orientées dans le sens longitudinal, le long de la ligne latérale ; le *S. aequifasciatus* possède de 53 à 59 écailles (jusqu'à 62 selon certains auteurs). Chez les deux espèces, le nombre de rayons épineux qui composent les nageoires est élevé : la nageoire dorsale compte 8-10 rayons durs et 28-33 rayons mous, la nageoire anale 6-9 rayons durs et 27-31 rayons mous.

Comme on peut le remarquer, le nombre d'écailles est très variable et ne peut donc pas constituer une caractéristique distinctive (*cf.* le dessin page suivante). La différence chromatique est plus significative :

• Le *S. discus* a un corps de couleur jaune marron avec des nuances rougeâtres et des rayures vert-bleu. Il est traversé par neuf rayures verticales équidistantes : la première passe par l'œil, la cinquième traverse la partie centrale du corps et la neuvième est située à la limite du pédoncule et de la queue. Ces

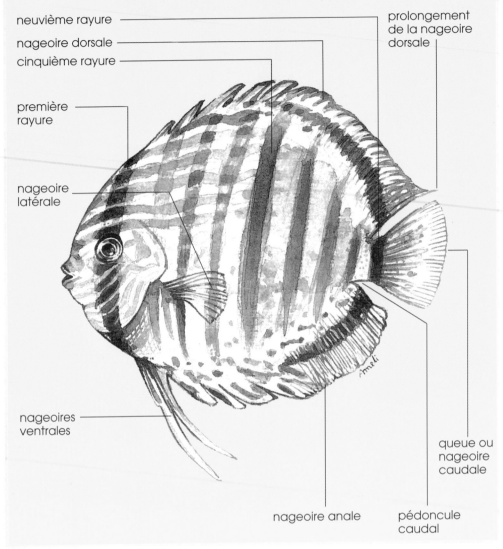

neuvième rayure

nageoire dorsale

cinquième rayure

première rayure

nageoire latérale

nageoires ventrales

prolongement de la nageoire dorsale

queue ou nageoire caudale

nageoire anale

pédoncule caudal

trois rayures sont toujours très visibles même quand les autres deviennent invisibles en fonction de l'humeur du poisson.

• Le *S. aequifasciatus aequifasciatus* présente une coloration de base verdâtre ou bleu verdâtre, avec neuf rayures verticales noires dont seules la première et la neuvième sont toujours présentes : elles sont placées au même endroit que chez tous les autres *Symphysodon* (c'est-à-dire que la première passe

par l'œil et la neuvième est située à la limite du pédoncule caudal et de la queue). La tête est ornée de quelques rayures vertes ou bleu métallique intense. Les nageoires sont divisées en trois faisceaux de couleur : elles sont foncées et même noires à la base, rouges dans leur partie centrale et colorées de nuances vert-bleu sur les bords.

• Le *S. aequifasciatus axelrodi*, connu sous le nom de « discus brun » ou « mar-

ron », est considéré par beaucoup comme le « vilain petit canard », à cause de sa coloration de base qui est marron pâle avec des rayures bleu métallique sur le front ; la partie terminale de ses nageoires dorsale, ventrale et pectorales est parfois rouge.

• Enfin, le *S. aequifasciatus haraldi* – qui a été pendant de nombreuses années le discus le plus recherché avant que ne soient créées par sélection toutes les variétés chromatiques dont nous parlerons dans le chapitre suivant – se présente avec une

Symphysodon aequifasciatus axelrodi (*« discus brun »*)

Symphysodon aequifasciatus haraldi (*« discus bleu »*) (*photos Aquarium du Limousin*)

coloration de base marron bleuté, des bandes de couleur bleue plus larges et évidentes que sur les autres discus et surtout réparties sur tout le corps. Beaucoup de ces poissons ont un iris rouge, ce qui est une caractéristique de grande valeur. Il s'agit sans aucun doute de la sous-espèce la plus importante pour la diffusion des discus bleutés.

Les zones de provenance

Comme tout le monde le sait, le discus est un poisson sud-américain que l'on trouve exclusivement dans le bassin hydrographique du fleuve Amazone et dans quelques autres fleuves sud-américains comme l'Orénoque, où plusieurs exemplaires ont été pêchés il y a quelques années.

Le fleuve Amazone comporte trois types de milieux différents, identifiés par des noms qui font référence aux caractéristiques de l'eau :

• L'« eau blanche », appelée *agua branca* par les indigènes, a une consistance assez comparable à celle du lait : la visibilité y est inférieure à 50 centimètres et, contrairement à ce qu'indique son nom, elle est d'une couleur ocre jaune. L'aspect trouble de l'eau vient de l'énorme quantité d'argile, de latérite et de détritus en suspension mélangés à la boue que le fort courant du fleuve charrie continuellement de son lit. Les paramètres chimiques de l'eau sont les suivants : un pH (acidité) compris entre 6,2 et 7,2, un kH (dureté carbonatée) entre 0,2 et 0,4, une température GH (dureté totale) inférieure à 1 ° (*cf.* page 14).

• L'« eau claire » (*agua clara*) est assez répandue, surtout dans les petits cours d'eau qui forment ensuite les fleuves, comme le Rio Tapajos. Sa caractéristique est de ne jamais perdre sa limpidité : celle-ci subsiste même quand elle est colonisée par le phytoplancton et qu'elle prend une coloration jaunâtre ou ver-

dâtre. Cette particularité est due à la déposition continuelle de substances dissoutes, et au faible courant qui entraîne à peine le fond constitué de cailloux et de sable ou encore de mica (clair ou foncé) et de gneiss. Comme on peut le deviner, la visibilité dans l'eau est très bonne et peut aller jusqu'à 4,50 m sans jamais être inférieure à un mètre. Les paramètres chimiques de l'eau sont : un pH allant de 4,5 à 7,8, un kH inférieur à 0,3 et une température GH comprise entre 0,3 et 0,8 °.

• L'« eau noire » (*agua preta*) est d'une couleur marron « Coca-Cola » caractéristique en raison de la forte concentration en acides humides qui proviennent de la matière végétale en décomposition. D'après une étude effectuée par Klinge en 1971, il ressort en effet que dans le bassin de l'Amazone, il tombe en moyenne jusqu'à 154 tonnes de feuilles chaque année par hectare. Contrairement à ce que l'on pourrait imaginer, l'eau n'est pas du tout trouble, mais limpide et la visibilité est comprise entre 1,30 et 2,50 m. Les paramètres chimiques de l'eau sont : un pH compris entre 3,8 et 4,7, 0,1 degré GH et un kH non mesurable en raison de la faible quantité de carbonates présents. C'est l'eau typique du Rio Negro et surtout des affluents de sa rive droite.

On ne peut toutefois pas affirmer que le discus vit exclusivement dans la nature avec des paramètres aquatiques aussi stricts, tout du moins tant que l'on n'aura pas exploré l'ensemble du bassin de l'Amazone. Nous savons en effet que le discus a été retrouvé dans ce fleuve et dans nombre de ses affluents comme le Rio Alenquer, le Rio Branco, le Rio Madeira, le Rio Tapajos, le Rio Uapes, le Rio Urubu, le lac de Manacapurù, le grand lac de Manacapurù et celui de Tefé, mais il est fort probable que les *Symphysodon* vivent dans beaucoup d'autres endroits qui n'ont pas encore été découverts.

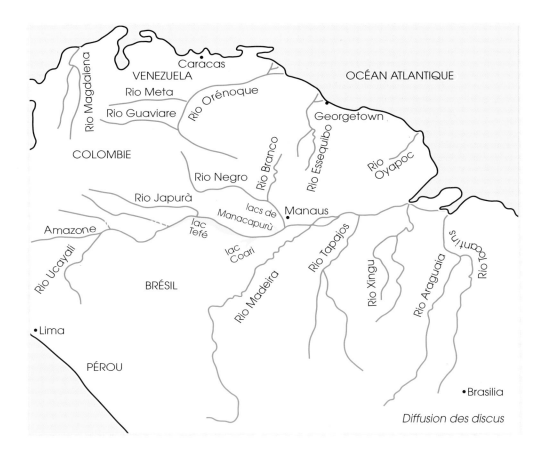

Diffusion des discus

Caractéristiques de l'habitat naturel des *Symphysodon*

Si l'on voulait faire une expédition en Amazonie à la recherche de discus, il faudrait posséder d'abord quelques connaissances de base pour pouvoir les trouver. Ainsi, dans la nature, les *Symphysodon* vivent volontiers dans les zones de faible courant.

Il est donc plus difficile de les trouver au beau milieu du fleuve Amazone ou des principaux fleuves que de les rencontrer dans les petits affluents ou dans les lacs très nombreux du bassin amazonien.

En ce qui concerne la qualité de l'eau et contrairement à ce que l'on pourrait penser, l'*agua preta* ne les attire pas parce que ce n'est pas (heureusement !) dans ces eaux, dont les paramètres seraient impossibles à recréer en aquarium, que les discus vivent et se reproduisent. Ils évoluent plutôt dans les deux autres types d'eau ou, encore plus souvent, dans les portions de fleuves où les deux eaux se mêlent, ou bien encore là où l'une de ces eaux se mêle à l'*agua preta*.

Si on veut rencontrer de véritables « heckel discus » (*cf.* page 9), il faut se rendre sur les affluents de la rive gauche du Rio Branco et du Rio Negro, le Rio Abacaxis et le Rio Trombetas. Si on recherche des « marrons », il faut surtout aller voir du côté du Rio Tapajos, du Rio Parurù, du Rio Tocantins ou du Rio Alenquer. Si notre objectif est de rencontrer de magnifiques *haraldi*, il faut se rendre sur le Rio Purus, le Rio Tapauà ou sur le lac Anamà. Enfin, si on recherche des « verts », il faudra se rendre dans les lacs Tefé et Coari pour ne pas être déçu.

En ce qui concerne leur véritable habitat, ces poissons préfèrent vivre dans des zones d'eau où sont tombés branches et arbres pour pouvoir s'y cacher quand ils sont attaqués par un prédateur, que ce soit un autre poisson ou un oiseau. Ils vivent à une profondeur d'environ un mètre, mais celle-ci peut augmenter considérablement si l'eau est très limpide.

Paramètres de l'eau

Comme nous l'avons vu, il n'est pas très facile de définir des paramètres rigoureux pour l'eau.

On peut toutefois affirmer que toutes les eaux de provenance des discus sont dépourvues de nitrites, de nitrates et d'ammoniaque ou que ces éléments y sont en très faible quantité ; de même, la présence microbienne est assez limitée en raison de l'acidité caractéristique de l'eau : ce dernier paramètre est d'ailleurs très dis-

cuté et « redouté » par les aquariophiles. Comme il est difficile de donner un pH unique, on peut dire qu'il est bas et compris entre 4,5 et 6,5.

Nous avons vu que les valeurs de dureté temporaire et totale en carbonates étaient très basses et même parfois impossibles à mesurer ; ainsi, si l'on veut recréer ce type d'eau dans un aquarium, il faut se référer à la valeur de la conductibilité électrique. Dans la nature, ce paramètre varie entre 20 et 42 microsiemens (µS).

Je tiens cependant à préciser que pour élever des discus de capture, il n'est pas obligatoire de respecter tous ces paramètres : en général, il suffit d'une eau ayant un pH compris entre 5,5 et 6, un kH inférieur à 2, une température inférieure à 3-4 °GH et une conductibilité inférieure à 70-80 microsiemens. Progressivement, on peut ensuite passer à des valeurs légèrement supérieures.

ACIDITÉ ET DURETÉ

Le pH exprime la valeur d'acidité d'un liquide, dans notre cas de l'eau. S'il peut varier de 0 à 14, ce sont les valeurs comprises entre 6 et 8 qui intéressent les aquariophiles.

Quand le pH est égal à 7, l'eau est neutre. S'il a une valeur inférieure à 7, elle est acide ; supérieure, elle est basique. Pour mesurer la valeur du pH, il faut utiliser des appareils de mesure appropriés et comparer le résultat au schéma.

Il arrive que l'on trouve, parmi les substances dissoutes dans l'eau, beaucoup de sels, issus surtout des composés de calcium et de magnésium. Ils déterminent la dureté totale de l'eau (degrés GH ou degrés allemands) et la dureté temporaire ou en carbonates (kH). Le premier paramètre prend en compte tous les sels dissous, le second uniquement les sels de carbonates et de bicarbonates.

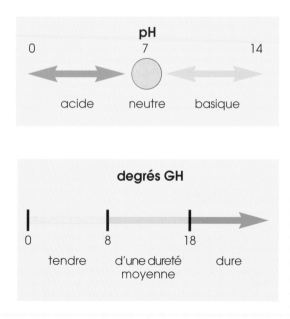

Les variétés d'élevage

Depuis qu'on a commencé à s'intéresser sérieusement à sa reproduction, le discus a subi une série de sélections destinées à améliorer son aspect extérieur, qui était déjà magnifique.

Au fil des années, les différents éleveurs ont concentré leur attention sur sa forme et sa couleur, comme cela n'avait jamais été fait pour aucun autre poisson. Seuls le poisson rouge, d'abord, puis la Carpa Koj dernièrement, ont fait l'objet d'une sélection aussi attentive.

Depuis quelques années, le marché aquariophile propose sans arrêt des nouveautés, grâce surtout aux éleveurs asiatiques, qui sans aucun scrupule et en utilisant des hormones pour faire grandir plus rapidement les poissons – et donc « gommer » les paliers de croissance – offrent continuellement de nouvelles variétés de couleur.

Différentes variétés chromatiques dans le même aquarium

Ce n'est pas un photomontage !

En dehors de l' » école » asiatique, il existe ce que l'on peut appeler une école américaine et une école allemande. La première est plutôt spécialisée dans la sélection des discus à « facteur bleu » ; l'école allemande s'intéresse davantage à la sélection de la couleur rouge et à la recherche permanente d'un discus emblématique, en essayant d'augmenter le diamètre vertical de son corps.

Les formes

Comme nous l'avons dit, la forme du discus a fait l'objet de très importantes sélections au fil du temps. Il faut remarquer qu'il est plus facile de sélectionner et de fixer un caractère se rapportant à la couleur plutôt qu'à la forme et que jouer sur ce dernier paramètre demande également plus de temps.
Le docteur Eduard Schmidt-Focke, reconnu partout comme le père des discus allemands, a commencé à sélectionner des sujets qui avaient la forme la plus discoï-dale possible et une coloration tendant vers le rouge. Ensuite, l'« **hi-body** », discus aux diamètres verticaux très accentués, a été également sélectionné en Allemagne.
De l'autre côté du globe, Jack Wattley a, en écho, été le premier à sélectionner ses célèbres « **turquoise rouge** » puis les magnifiques « turquoise » porteurs du gène « **hi-fin** », c'est-à-dire possédant des nageoires plus hautes qu'habituellement, une nageoire caudale se prolongeant jusqu'à l'arrière de la nageoire dorsale et, chez certains sujets, également jusqu'à la nageoire anale. Ce caractère semble avoir été sélectionné pour distinguer facilement les mâles des femelles (qui en seraient dépourvues), mais il n'est pas fiable à 100 %.
Au cours des différentes sélections, on a ensuite fixé génétiquement des caractères comme la bosse frontale marquée présente chez certaines variétés chromatiques comme les « **cerulea** » et certains « **pigeon blood** », et qui ne peuvent pas être considérés comme des caractères sexuels secondaires.

Turquoise « hi-fin » mâle

Les variétés de couleur

Toutes les variétés d'élevage sont obtenues en sélectionnant une caractéristique de couleur particulière d'une espèce de discus ou, plus communément, en croisant des discus de variétés ou d'espèces différentes.

Nous allons commencer par traiter celles qui sont sélectionnées à partir d'une seule espèce, en parlant tout d'abord des *Symphysodon aequifascius axelrodi*.

Parmi les « discus marrons », on a surtout sélectionné ceux qui étaient à « facteur rouge ». Dans le commerce, certains de ces exemplaires portent le nom du lieu de capture de leurs ancêtres (appelés également *wild-caught*, c'est-à-dire de capture). On trouve parmi ces derniers les très beaux « **alenquer** », qui ont pris le nom de leur fleuve d'origine : ce sont des « discus marron » avec de très belles rayures bleues sur toute la partie périphérique du corps et des nageoires, dont la couleur de base est un beau rouge intense. Ils ont permis la sélection des « **alenquer red** », qui présentent des rayures irrégulières turquoise mais surtout rouges sur la tête, les nageoires dorsale et anale, et dont le milieu du corps est caractérisé par des taches colorées de forme circulaire plus ou moins grandes (*spot* en anglais) et bleutées ; le bord de leurs nageoires dorsale et anale et les nageoires ventrales sont entièrement rouges. Chez de nombreux mâles, on remarque une ébauche de « hi-fin ».

Comparaison entre deux variétés de discus : un « panda » et un « turquoise »

Un « red » obtenu en sélectionnant une mutation de couleur avec un *axelrodi*

Le « **red Eddy** » a également été sélectionné à partir des *axelrodi*. Sa couleur de fond oscille entre le marron doré et le rouge marron, avec des rayures de couleur turquoise brillant principalement sur la partie dorsale de son corps. Chez cette variété, les nageoires ventrales sont également rouges, tout comme les bords des nageoires dorsale et ventrale. Une des variétés récentes est le « **red tomato** » : son corps, marron rougeâtre, est entièrement dépourvu de turquoise et son ventre est rouge tomate.

Les plus beaux discus que l'on trouve dans la nature appartiennent aux *Symphysodon aequifasciatus haraldi* : ce sont les légendaires « **royal blue** », dont la dénomination désigne exclusivement les exemplaires les plus beaux de cette espèce, c'est-à-dire ceux qui ont les rayures bleues les plus intenses et les plus étendues sur le corps, à l'exception du ventre qui comprend des taches de même couleur. 80 % des variétés sélectionnées viennent des « royal blue ». Il faut toutefois faire une distinction parmi ces poissons entre les « entiers » et les « composés ».

Un « turquoise » entre deux « alenquer »

• Les « entiers » sont ceux qui ont une livrée monochrome comme les « **cerulea** », les « **cobalt** » ou les « **turquoise** », et qui sont tous obtenus en élevage.

• Les « composés » sont ceux qui présentent des rayures de différentes tonalités de bleu sur un fond de couleur variée.

Dans la nature, selon la zone dans laquelle ils vivent, ces poissons ont des livrées présentant des différences de coloration ou de disposition des couleurs qui permettent de les distinguer, même si cela reste bien souvent très difficile à faire. Parmi les discus sauvages de capture les plus appréciés par les amoureux de ces Cichlidés, il faut citer les individus originaires du lac Manacapurù et du grand lac de Manacapurù.

Les poissons qui proviennent de ces lacs sont caractérisés par des rayures très régulières sur tout le corps, de la tête au pédoncule caudal, d'une couleur qui varie du bleu intense au turquoise et qui tend même vers le vert chez certains exemplaires. Leur couleur de base est le rouge-brun. Parmi les

Femelle d'« alenquer »

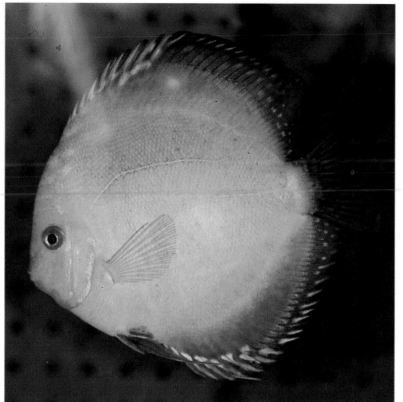

« Turquoise rouge » obtenu en croisant des discus originaires du lac de Maṅacaparù

variétés d'élevage dérivées des *haraldi*, il y a les « turquoise rouge », caractérisés par une couleur de fond rouge brique et des rayures turquoise évidentes sur l'ensemble du corps. Ce sont les discus les plus répandus, que l'on trouve facilement dans des magasins spécialisés, même si ce ne sont pas toujours de véritables « turquoise rouge » qui sont vendus sous ce nom. Une fois que ces poissons sont parvenus à l'âge adulte et que leur coloration est achevée, on peut ainsi très bien s'apercevoir que l'on a dans son aquarium de magnifiques « marron ».

Parmi les « composés » dérivés des croisements entre les *haraldi* et d'autres *aequifasciatus*, c'est-à-dire ceux que l'on classe sous l'étiquette *aequifasciatus ssp.*, les « **ceckerboard** » de Smith-Focke et Manfred Gobel et les « **pearl** » occupent une place de choix : les premiers sont des poissons dont la couleur dominante se situe entre le marron, le rouge et l'orange, avec des taches turquoise unies, larges et rondes réparties sur tout le corps. Les seconds sont obtenus en croisant les « turquoise rouge » avec les « marron », donnant un poisson à la coloration de base jaune marron et avec tout le corps moucheté de petites taches régulières de couleur turquoise. Après des croisements successifs, ces derniers ont permis à Siegfried Homan d'obtenir des « **red pearl** », identiques aux « pearl » en ce qui concerne la répartition des taches mais qui sont d'une couleur bleu lumineux clair sur un fond qui varie du rouge au rouge orangé. Pour clore la liste des « composés », il ne faut pas oublier les « **vertical** », qui sont parmi les plus beaux dans l'absolu. Cette variété, sélectionnée pour la première fois par l'éleveur asiatique Ghan, présente plusieurs rayures au-dessus de l'œil, disposées verticalement (d'où le nom du poisson) plutôt qu'horizontalement.

Parmi les « entiers », il est impossible de ne pas commencer par les premiers « turquoise » que créa Wattley en croisant des

« verts » qui provenaient du lac Tefé et de Colombie avec des *haraldi* originaires du Rio Jurua. Ce poisson est d'une belle couleur turquoise avec l'iris couleur rouge rubis. Certains sujets présentent toutefois des taches : ce sont quelques écailles métallisées très intéressantes réparties sur l'ensemble du corps, mais surtout sur le front.

Les « cobalt » ressemblent aux « turquoise » et leur couleur intense devient bleu électrique durant les périodes de cour. Les « cerulea », d'une couleur bleu ciel typique, ont parfois sur la tête une bosse plus grosse que celle des autres discus.

Les derniers *aequifasciatus* qu'il faut citer sont les « verts ». Ce sont en réalité des poissons qui sont déjà très beaux dans la nature,

Sur ces deux pages, trois exemplaires de « turquoise rouge »

Au centre, une femelle de « pearl »

« Turquoise » : on remarque son iris rouge rubis

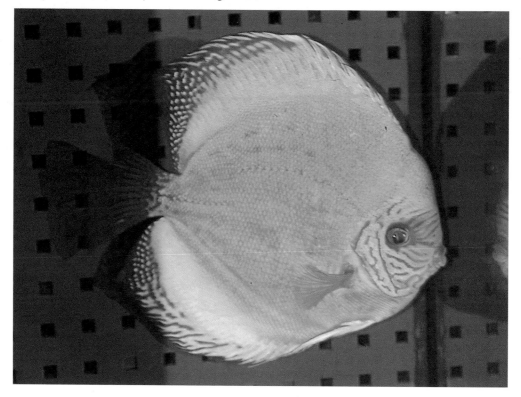

*Détails des taches d'un « turquoise »
constituées d'écailles de couleur bleu
métallique*

Gros plan sur un « turquoise » sans tache

mais dont on a diffusé des variétés vertes, croisées avec les autres discus pour obtenir certaines des variétés que nous avons décrites. Il est impossible d'oublier les discus des lacs Tefé, Japurà et Coari, qui sont tout simplement splendides. Je ne m'étendrai pas sur la description des « verts » car elle est conforme à celle qui a été faite pages 9 et 10.

Les *Symphysodon discus* – c'est-à-dire les « heckel » – n'ont pas fait l'objet de grandes manipulations. Plus précisément, bien qu'ils aient été croisés plusieurs fois avec les *aequifasciatus*, ils n'ont pas donné de variétés remarquables, à l'exception de l'« **heckel-cross** », obtenu surtout par le croisement avec des *aequifasciatus haraldi*, et qui a l'aspect d'un *haraldi* avec une cinquième rayure toujours bien visible.

Mâle adulte de « cerulea »

Deux « tefé discus »

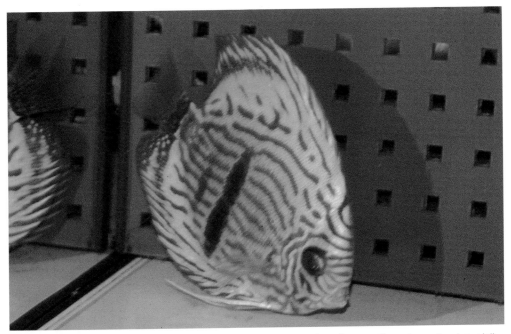

« Heckel-cross » obtenu par un croisement de Symphysodon discus **x** Symphysodon haraldi

« Heckel-cross » wild caught

Les dernières variétés créées

Comme je vous le disais, les variétés de discus sont en continuelle augmentation et les éleveurs asiatiques en particulier en sélectionnent constamment de nouvelles. Ils ont même récemment créé des poissons à l'iris jaune, tandis que les éleveurs allemands et américains continuent de préférer les yeux rouges. Parmi les dernières variétés sélectionnées, voici les plus belles :

• « **Turquoise striped** ». Il provient du croisement entre des « verts » et des « turquoise » et est caractérisé par une coloration turquoise, virant sur l'argenté avec des rayures rouge pâle qui parcourent son corps de façon régulière.

« Pigeon blood » : on remarque son iris jaune

« Turquoise striped »

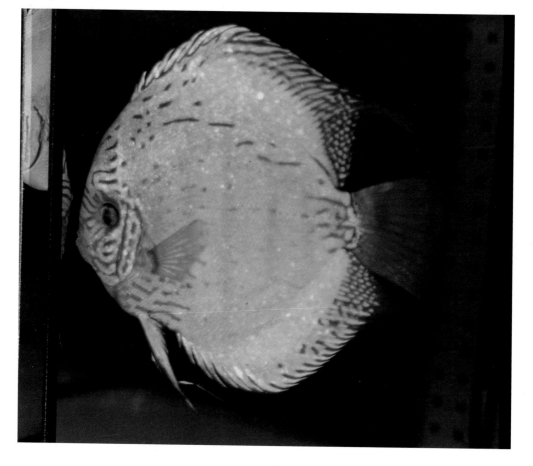

• « **Pigeon blood** » (sang de pigeon). Il semble que cette très belle variété de poissons ait été obtenue par des traitements hormonaux effectués sur des sujets « turquoise » albinos croisés avec des « turquoise ». En effet, l'origine de cette variété ne fait aucun doute. Toutefois, il est possible que l'action de certains traitements, à la longue, favorise une mutation qui conduirait à l'albinisme.

Cette variété présente une couleur de base qui varie entre le jaune-brun et le rouge-brun, avec des rayures horizontales irrégulières de couleur turquoise argenté brillant et une pigmentation noirâtre répartie sur tout le corps. Il en existe au moins 20 variétés dérivées. Les rayures verticales noires sont toujours absentes.

Sur cette page, quelques variétés de « pigeon blood »

Ce « pigeon blood » a été sélectionné en Belgique

• Comme dérivés du « pigeon blood », nous trouvons : le « **dragon** », qui n'est rien d'autre qu'un « pigeon » sans pigmentation noire ; le « **red dragon** », qui ressemble au « sang de pigeon » mais dont la couleur de fond est rouge vif ; le « **white dragon** », dont la couleur de fond est nacrée avec des pointillés rougeâtres sur tout le corps.

Un jeune « dragon »

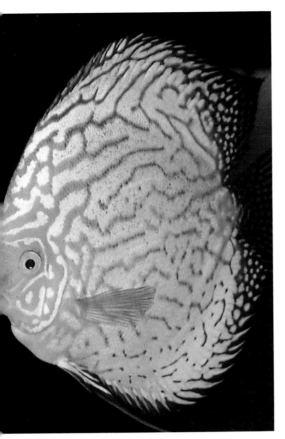

• « **Panda discus** ». Il vient du croisement entre un « pigeon blood » et un « cerulea ». Il présente une coloration nacrée avec des bandes rouges sur fond jaune virant sur l'orange. La pigmentation noire est présente mais pas aussi évidente que chez le « pigeon ».

« White dragon », obtenu en croisant un « pigeon blood » et un « cerulea »

Gros plan d'un « panda discus »

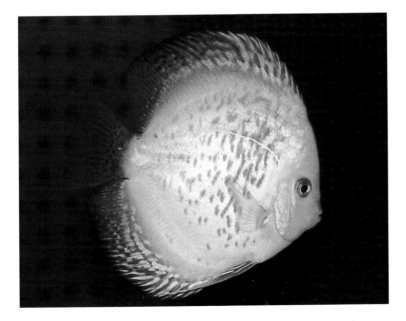

• « **Marlboro red** ». Il présente une coloration de base rouge pâle avec des taches rouge « Marlboro » sur le ventre et les flancs.

« Marlboro red »

• « **Ghost** ». Sa couleur de base est délavée et sa tête présente une coloration jaune accentuée. La première et la neuvième rayure sont toujours présentes.

• « **Snake skin** ». Ce poisson fantastique présente une bigarrure réticulaire turquoise sur fond rouge brique.
Les dernières sélections de ce poisson tendent à faire disparaître les bandes noires verticales qui sont toutefois déjà peu visibles.

Gros plan d'un « ghost »

« Snake skin »

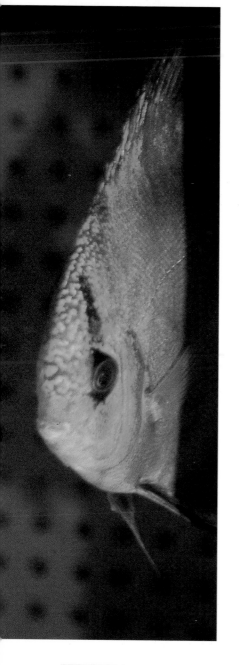

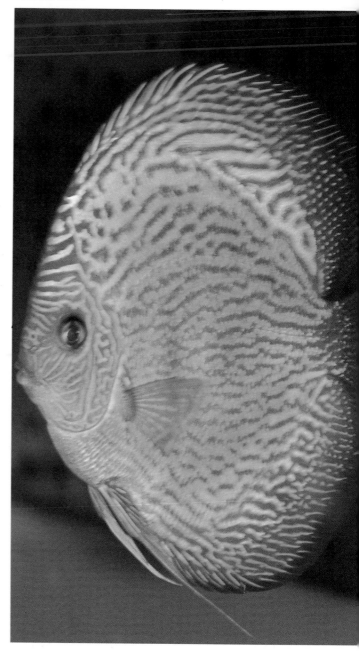

• Enfin, nous trouvons le « **white** ». C'est un poisson qui, quoique entièrement blanc, n'est pas albinos, étant donné que son iris est noir. Il a été sélectionné par le docteur Lim, qui a affirmé que ce poisson est appelé à transformer le *discus breeder* en *discus design* ; selon lui, on pourra obtenir une coloration « au choix » en disposant la couleur souhaitée pour un poisson sur le fond blanc du « white » ; on « imposera » pratiquement une couleur (*discus design*) au poisson et on ne comptera plus simple-

Petit banc de « white » sélectionnés par le docteur Lim

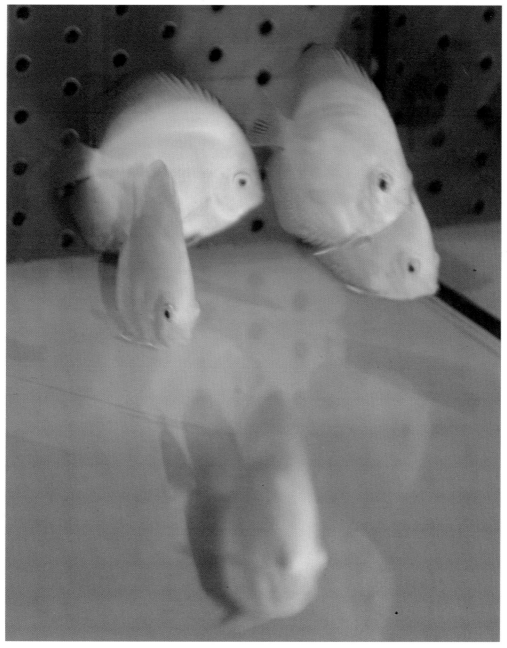

ment sur une sélection classique dans l'espoir d'obtenir une mutation ou une disposition particulière de la coloration « décidée par la nature » (*discus breeder*). Le docteur Lim est vraiment convaincu que l'on pourra colorier un poisson comme on le souhaite et il a même parié qu'il réussirait un jour à en sélectionner un avec le drapeau japonais dessiné sur le corps.

Le premier salon international de discus en Europe s'est tenu en 1996 à Duisburg (Allemagne). Les participants étaient surtout allemands et asiatiques. Certaines des photos qui illustrent ce chapitre ont d'ailleurs été prises à cette occasion.

« Turquoise rouge » classé premier dans sa catégorie à Duisburg

Le jury du championnat du monde des discus qui s'est tenu à Duisburg, avec les prix en jeu

Présentoir de discus

Un scalaire « golden » (doré) : peut-être existera-t-il un jour un « golden discus » ayant cette intensité de couleur

« Turquoise rouge » : on note la longueur de ses nageoires ventrales

« Turquoise » classé 3ᵉ à Duisburg

L'achat et l'élevage

Avant de parler de la reproduction, qui représente certainement l'aspect le plus fascinant des discus, il faut concentrer son attention sur l'élevage. Même si celui-ci est plus facile qu'autrefois, quand un aquariophile n'avait à sa disposition que des exemplaires de capture, il existe encore, après des générations et des générations nées en captivité, des poissons qu'il faut traiter « avec des gants ».

Il faut surveiller en particulier avec beaucoup de soin l'hygiène de l'aquarium, les paramètres de l'eau, l'alimentation et l'habitat.

Quel discus choisir ?

Naturellement, la première erreur à ne pas commettre est d'acheter un discus malade. Cela est plus facile à dire qu'à faire parce qu'il arrive qu'au moment de l'achat, des poissons soient déjà en période d'incubation, surtout s'ils viennent d'être importés. Il faut donc bien regarder le sujet choisi, si possible en se plaçant à un ou deux mètres de l'aquarium, et observer son comportement. Il peut être aussi utile de demander au vendeur de nourrir le poisson pour voir si l'animal mange avec appétit et sans problèmes. Si l'on n'est pas sûr de l'état de santé d'un poisson, il est conseillé de le « réserver » et de le laisser dans son aqua-

Un discus aussi curieux que ce « panda » ne risque pas d'être un sujet malade

rium, puis de revenir constater s'il est vraiment en bonne santé.

On peut décider de rapporter le poisson chez soi si l'on dispose d'un bassin de quarantaine pour qu'il puisse connaître une

« Pigeon blood »

Il peut être utile d'examiner les selles du poisson car elles donnent parfois quelques indications sur sa santé. Celles-ci doivent en effet être bien formées et d'un marron plus ou moins foncé en fonction de l'alimentation qu'il reçoit. Il faut écarter de son choix les poissons qui ont des selles blanchâtres ou mal formées, la plupart du temps signe de parasitose intestinale.

Il ne faut pas non plus acheter des poissons très petits et déjà très colorés, parce qu'il y a de grandes chances pour qu'ils aient subi des traitements hormonaux.

Un autre point à éclaircir concerne la taille des discus à acheter. On en trouve de toutes sortes dans le commerce, mais elles ne sont pas toutes à conseiller. Ainsi, les éleveurs d'Asie du Sud-Est en proposent jusqu'à sept pour chaque coloration :
– S = small, jusqu'à 3 cm de diamètre ;
– SM = small-medium, de 4 à 5 cm ;
– M = medium, jusqu'à 6 cm ;
– ML = medium-large, jusqu'à 8,5 cm ;
– L = large, jusqu'à 12 cm ;
– XL = extra-large, jusqu'à 15 cm ;
– XXL = show, supérieur à 15 cm.

Pour commencer, il ne faut pas acheter des poissons de trop petite ou de trop grande taille. Dans le premier cas, on n'aura pas une bonne idée du poisson que l'on achète parce que sa couleur sera vraiment incomplète : on risque alors de croire que l'on achète un « turquoise » et de se retrouver avec… un « brun » ! Les poissons trop grands sont souvent déjà en « fin de carrière » reproductive et ils ne supportent en général pas le stress du transport et de l'acclimatation, avec les conséquences tragiques que cela entraîne parfois.

La meilleure chose à faire est d'acheter des « SM » ou, mieux encore d'après moi, des « M » ; on a ainsi une idée assez fidèle de leur couleur définitive, même s'il faut tenir compte du fait que de nombreux « couleurs entières » (monochromes, *cf.* page 19), comme par exemple les « turquoise » ou les « cobalt », peuvent à ce stade être confondus avec des « turquoise rouge », parce qu'ils présentent des rayures rouges qui ne disparaîtront qu'ensuite, quand ils prendront leur coloration définitive. Pour

période d'isolement avant d'être placé dans l'aquarium avec les autres poissons. Toutefois, cette solution est risquée parce que l'on doit s'occuper soi-même du poisson et le succès n'est donc pas garanti ; en outre, cela entraîne pour le discus un nouveau stress dû au transport.

Il est donc déconseillé de rapporter chez soi un poisson d'importation qui vient d'arriver dans le magasin, même s'il a l'air en bonne santé.

Il faut en revanche éviter absolument d'acheter un poisson qui ne mange pas, qui a une respiration accélérée, qui reste à la surface de l'eau en accomplissant des mouvements respiratoires excessifs avec ses branchies et/ou qui a les nageoires refermées et une patine sur tout le corps ou encore une coloration foncée. Il faut rappeler à ce propos que la livrée des « pigeon blood », une variété particulière de discus, et de toutes les variétés qui en dérivent, ne fonce jamais, y compris quand ces poissons sont à l'agonie : il faut donc observer ce détail avec beaucoup d'attention.

Ce jeune à la livrée délavée n'a certainement pas subi de traitements hormonaux

Très jeunes discus

éviter cette confusion, on peut demander au vendeur d'extraire un poisson de l'aquarium pour l'observer à la lumière rasante : les individus jeunes à la coloration entière présentent dans cette situation des reflets sur toutes les parties de leur corps.

Un autre détail à vérifier est la rondeur du sujet. Les « SM » doivent déjà être parfaitement ronds et leurs nageoires dépourvues de toute malformation. Des prolongements de la nageoire dorsale et anale peuvent représenter chez les adultes (pas dans toutes les espèces !) un caractère sexuel secondaire qui indique qu'il s'agit d'un sujet mâle, mais sont souvent synonymes de traitement aux hormones quand ils sont présents chez des individus de petite taille. Il ne faut pas non plus négliger l'état de nutrition du poisson : on peut facilement le vérifier en observant le front qui doit présenter une forme bombée et un aspect charnu. Les animaux au front creusé ou dont on voit nettement le profil des os sont à écarter parce qu'ils sont atteints de maladies systémiques ou parasitaires de longue date. En ce qui concerne la coloration… c'est une question de goût et de porte-monnaie ! Je pourrais vous conseiller d'acheter, à qualité et taille égales, les poissons les moins chers, mais comme il s'agit d'une passion et que « quand on aime on ne compte pas », chacun est libre de choisir celui qui lui plaît en fonction de ses moyens.

Mon dernier conseil s'adresse aux novices : n'achetez pas des poissons de capture parce que ces sujets sont difficiles à élever au début de leur période d'acclimatation.

L'aquarium

Les discus sont des poissons qui atteignent des dimensions importantes et qu'il faut faire vivre en groupe comme dans la nature, à l'exception des périodes de reproduction. Il est donc impensable de les installer dans un aquarium aux dimensions inadaptées. En raison précisément de leur taille ou de celle qu'ils atteindront rapidement, ils doivent être placés dans un bassin d'au moins un mètre de longueur, si possible d'une hauteur supérieure ou égale à 40-45 cm, en compagnie de quelques-uns de leurs congénères.

Si l'on souhaite qu'ils se reproduisent, il faut commencer par un groupe de 5-8 individus de 5-7 cm de diamètre corporel et dont la taille soit la plus homogène possible. Il peut être conseillé dans les premiers temps de placer avec les discus quelques poissons vifs et ayant bon appétit pour les « entraîner ». Un scalaire est par exemple un très bon choix. Je n'insisterai pas sur le choix de l'emplacement de l'aquarium parce que les précautions à prendre sont les mêmes que pour les autres bassins et qu'elles sont souvent bien décrites dans les livres généraux sur l'aquariophilie. Je peux simplement préciser qu'il n'est pas obligatoire que l'aquarium soit placé dans un endroit tranquille : l'entrée d'une maison peut aussi convenir, à condition qu'au début les gens ne fassent pas de gestes brusques en le longeant. Une bonne méthode pour tranquilliser les discus consiste à leur donner une petite friandise à chaque fois que quelqu'un de la famille passe devant leur aquarium : les poissons ne tarderont pas à les reconnaître comme des amis et ne seront plus gênés par leur présence.

L'aquarium de reproduction doit en revanche être placé dans un endroit calme. Je préfère en général le mettre à proximité d'une fenêtre pour que les poissons puissent profiter de l'effet aube/crépuscule, surtout pendant les mois d'été, en faisant toutefois attention de ne pas les exposer directement aux rayons du soleil. On évite ainsi que la température de l'eau n'atteigne un niveau excessif. Quand on le peut, il est préférable de disposer l'aquarium à côté d'un point d'eau pour faciliter les opérations de changement d'eau ou même pour pouvoir profiter d'un renouvellement continuel, comme nous le verrons plus loin. La forme idéale d'un aquarium est un parallélépipède dont la longueur représente à peu près deux fois la hauteur. Un aquarium cubique ou à base carrée peut aussi être une bonne solution esthétique, surtout s'il s'intègre bien dans un meuble. En ce qui me concerne, je préfère toujours placer mes aquariums selon une disposition classique : un des côtés longs est placé contre un mur et sa vitre est recouverte, sur sa partie extérieure, de papier adhésif noir. Cette solution permet d'atteindre deux buts importants : quand les poissons sont effrayés et s'enfuient, ils se sentent plus à l'abri et protégés près d'une surface sombre ; en outre, les plantes et l'équipement d'un aquarium ressortent mieux sur un fond sombre.

L'équipement technique

Le choix du matériel technique a une importance fondamentale pour garantir aux poissons les meilleures conditions de vie possible. Il faut toujours demander conseil à un vendeur pour acheter les accessoires qui répondent le mieux à nos besoins.

Certains équipements doivent être considérés comme indispensables et d'autres comme facultatifs. De nombreux aquariophiles, et j'en fais partie, aiment le bricolage, en considérant que c'est une façon plus active et plus gratifiante de participer à leur hobby. La seule recommandation est

Appareil de contrôle électronique du pH et de la température

de faire très attention au moment de la réalisation des installations électriques : elles doivent être parfaitement étanches pour éviter des accidents sur les personnes ou les poissons (c'est plus rare).

Les filtres

Le filtre est une des composantes que l'on néglige souvent alors qu'il est très important d'y consacrer quelques lignes (et quelques francs) supplémentaires. Il faut considérer avant tout le filtre comme « l'âme de l'aquarium » et non pas, comme cela arrive souvent lors des premières expériences, comme « ce qui vole de l'espace aux poissons ». De nombreux échecs rencontrés par des aquariophiles sont dus à des erreurs plus ou moins grossières dans le choix et l'installation de cet accessoire fondamental.

On peut distinguer deux grandes catégories de filtres :
– les *filtres mécaniques*, destinés à évacuer les déchets ;
– les *filtres biologiques*, chargés de transformer les substances toxiques qui viennent des processus cataboliques[1] des poissons (selles, etc.), de la dégénérescence des feuilles mortes, de la fermentation de la nourriture donnée en trop grande quantité (et donc non consommée par les poissons) et qui n'a pas été éliminée par un système de siphon (nettoyage du fond avec un équipement approprié que l'on trouve facilement dans le commerce).

Selon leur emplacement, les filtres peuvent également être divisés en :
– *extérieurs* ;
– *intérieurs* ;
– « *nouvelle génération* ».

Les filtres mécaniques
En général, les filtres mécaniques sont des récipients dotés d'une pompe centrifuge d'une portée et d'une puissance élevées (équivalent au double de la quantité d'eau contenue dans l'aquarium en une heure) et remplis d'une fibre synthétique (par exemple de la laine de perlon) et/ou de charbon actif.

Les filtres biologiques
Les filtres biologiques possèdent une pompe moins puissante que les précédents et sont remplis d'un matériau inerte qui favorise l'installation des bactéries (surtout *Nitrobacter* et *Nitosomonas*), qui facilitent à leur tour la transformation des catabolites, constitués en grande partie d'azote organique, en azote inorganique.

Les matériaux destinés à abriter les colonies bactériennes sont variés et peuvent avoir les formes les plus extravagantes. Autrefois, on utilisait beaucoup les petits cylindres en céramique poreuse qui facilitaient l'implantation bactérienne. Ils étaient creux et très efficaces. On utilisait aussi des petits blocs de lave de 2-3 cm ou encore du charbon inactif (c'était le plus souvent du charbon actif qui avait épuisé ses capacités d'absorption).

Depuis une quinzaine d'années, les masses filtrantes en plastique lisse qui favorisent l'écoulement de l'eau ont pris le dessus : leur structure et leur consistance fournissent à l'eau une surface de contact énorme que l'on ne pourrait jamais obtenir avec un cylindre en céramique ou avec tout autre matériau de l'ancienne génération. En outre, et ceci est très important, comme ces filtres sont lisses, ils empêchent la formation de colonies anaérobies qui libèrent des substances indésirables, comme cela se produisait auparavant dans les pores des matériaux utilisés précédemment. Un autre avantage est de pouvoir exploiter avec ce filtrage tout le volume occupé.

Les filtres extérieurs
Les *filtres extérieurs « avec pompe à air »* ont connu un grand succès, surtout comme filtres mécaniques d'appoint ou comme filtres mécanico-biologiques dans les aquariums où l'on voulait les dissimuler. En

---

1. Le catabolisme est le mécanisme à travers lequel les organismes dégradent les matériaux cellulaires en substances plus simples avant de les expulser.

effet, en raison de leur structure, ils sont très faciles à cacher dans le meuble qui soutient l'aquarium et ne demandent que peu d'entretien. Toutefois, ils sont plus chers que les filtres intérieurs et sont considérés comme des « mangeurs d'oxygène », à cause de la grande quantité d'oxygène utilisée au cours des processus d'oxydation par les bactéries à l'intérieur du filtre ; en outre, toujours en raison de la structure de ce type de filtre, il est impossible d'y introduire de l'oxygène avec un aérateur (*cf.* le dessin).

Nous ne parlerons pas des filtres extérieurs avec réservoir ni des mini-filtres intérieurs parce qu'ils ne possèdent tous deux que trop peu de matériaux filtrants par rapport au volume de l'aquarium dont vous aurez besoin pour élever des discus.

Les filtres intérieurs

Les filtres intérieurs sont placés dans l'aquarium ; ils sont très utilisés en raison des résultats qu'ils permettent d'obtenir s'ils sont bien entretenus. Ils sont formés d'une cuve séparée en plusieurs compartiments. Selon la disposition des séparations, ces filtres sont classés en :
– *filtres à chargement vertical ;*
– *filtres à chargement horizontal.*
Les filtres à chargement horizontal sont pratiquement imbattables d'un point de vue qualité/prix. Même s'ils ont tendance à être de plus en plus concurrencés par les filtres « nouvelle génération », ils sont toujours considérés comme les meilleurs filtres étant donné leurs résultats et les possibilités d'adaptation aux besoins individuels qu'ils

SCHÉMA D'UN FILTRE LATÉRAL

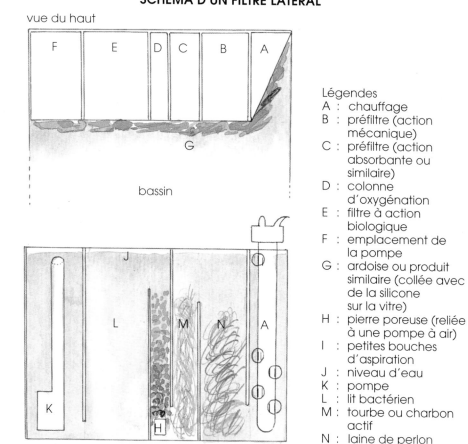

vue du haut

bassin

vue de l'arrière

Légendes
A : chauffage
B : préfiltre (action mécanique)
C : préfiltre (action absorbante ou similaire)
D : colonne d'oxygénation
E : filtre à action biologique
F : emplacement de la pompe
G : ardoise ou produit similaire (collée avec de la silicone sur la vitre)
H : pierre poreuse (reliée à une pompe à air)
I : petites bouches d'aspiration
J : niveau d'eau
K : pompe
L : lit bactérien
M : tourbe ou charbon actif
N : laine de perlon

présentent. Ces filtres peuvent être placés aussi bien sur une largeur de l'aquarium que sur sa longueur postérieure (c'est la solution idéale). On peut les remplir avec n'importe quel type de masses filtrantes. En outre, le remplacement de la tourbe ou du charbon actif s'effectue rapidement et les masses filtrantes se nettoient facilement.

En respectant certains critères vous pourrez, si vous êtes un aquariophile bricoleur, dissimuler votre filtre. S'il est placé sur le côté, il faut que sa première face soit disposée en oblique. S'il est disposé le long de la paroi du fond, il peut être recouvert de schiste, d'ardoise, ou d'autres roches non calcaires, afin de lui donner un aspect très naturel (*cf.* dessin page 41).

Si vous êtes très habile, vous pourrez également créer des petites fentes dans lesquelles vous disposerez des touffes de *Vescicularia dubiana* ou de *Microsorium pteropus*.

En ce qui concerne l'entretien ordinaire, c'est le filtre arrière symétrique qui offre les meilleurs avantages : en effet, on peut nettoyer alternativement tous les 15 jours les lits bactériens de droite et de gauche. Le filtrage ne subit pas beaucoup d'écarts et, surtout, la partie propre, celle où l'eau s'écoule plus rapidement, dispose d'une plus grande quantité d'oxygène, ce qui lui donne un plus fort pouvoir oxydant. En revanche, l'autre partie du filtre, qui est restée sale, accomplit une activité réduite.

Le matériau synthétique du préfiltre doit également être nettoyé tous les quinze jours.

Les filtres « nouvelle génération »

Le filtre « nouvelle génération » est la dernière innovation importante dans le domaine des filtres. En réalité, il s'agit d'un ancien système de dépuration des eaux provenant des déchets. Au début des

SCHÉMA D'UN FILTRE ARRIÈRE SYMÉTRIQUE

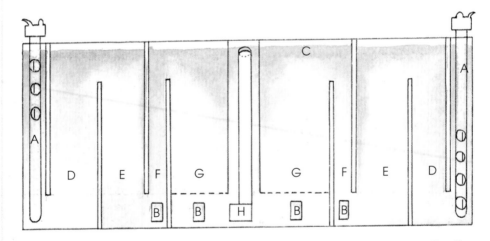

vue de l'arrière

Légendes
A : chauffage
B : pierre poreuse (reliée à une pompe à air)
C : niveau d'eau
D : laine de perlon
E : matériau absorbant ou similaire
F : chambre d'oxydation
G : lits bactériens
H : pompe
I : petites bouches d'aspiration

CONSEILS POUR LA CONSTRUCTION D'UN FILTRE

• Fabriquez le filtre tout en verre avec de la silicone neutre pour être certain qu'après le séchage, aucune substance toxique ne se dégage.

• Utilisez les côtés de l'aquarium pour constituer les parois manquantes du filtre ou, encore mieux, faites un « aquarium-filtre » aux bonnes dimensions et qui soit compatible avec le bassin dans lequel vous l'immergerez. Ainsi, si vous décidez ensuite de changer la disposition de votre aquarium et que le filtre n'est pas posé au bon endroit, il vous suffira de le déplacer selon vos nouveaux besoins.

• Utilisez toujours trois petites bouches d'arrivée d'eau pour la première chambre filtrante, afin que l'écoulement de l'eau ne puisse pas être entièrement obstrué, par exemple par une grosse feuille.

• Percez le haut de la face en verre du filtre et placez-y une petite bouche d'aspiration à proximité de la surface de l'eau, afin d'éviter la formation d'une pellicule bactérienne superficielle.

• Placez un couvercle sur le filtre pour éviter que les poissons n'y pénètrent.

• Si vous le pouvez, placez les séparations intérieures de façon que la pompe se trouve non pas sur un côté, mais au centre, entre deux cuves de filtrage symétriques.

• Créez plusieurs petites bouches d'aspiration afin de réduire le plus possible la formation de zones d'eau stagnante dans l'aquarium.

• Installez une pompe dont la puissance horaire soit de 1-1,5 fois la capacité totale de l'aquarium.

années soixante, des spécialistes allemands avaient déjà publié des articles sur l'application de cette technique à l'aquariophilie, mais ils n'avaient pas été écoutés. Au cours de ces dernières années, ce type de filtre a connu un succès considérable, surtout en Allemagne.

Ce système de filtrage possède plusieurs caractéristiques très intéressantes et très positives mais son prix de construction est plus élevé en raison du type de pompe utilisé, et il prend plus de place puisque le bloc du filtre est habituellement disposé sous l'aquarium.

Sur la page suivante, vous pourrez voir le schéma d'une installation d'un filtre « nouvelle génération » standard.

D'un point de vue pratique, il faut souligner que le bloc du filtre ne représente que 5 % du volume total de l'aquarium, et qu'il donne toutefois d'excellents résultats. Je voudrais cependant vous conseiller un système moins onéreux pour réaliser l'équivalent de ce type de filtre. Vous pouvez en effet installer à l'intérieur d'un aquarium d'au moins 250 litres un filtre comme celui qui est représenté page 45. Comme on peut le remarquer, la partie supérieure de ce filtre est dotée d'un petit grillage ajouré qui distribue l'eau de façon homogène sur les masses filtrantes. Ces dernières ne sont donc pas immergées mais simplement arrosées par la pluie en provenance du grillage. Pour éviter la sédimentation de la saleté sur les masses filtrantes, il est fondamental de placer avant le grillage un préfiltre formé de 2-4 cm de laine de perlon. L'eau filtrée arrive dans une cuve de réten-

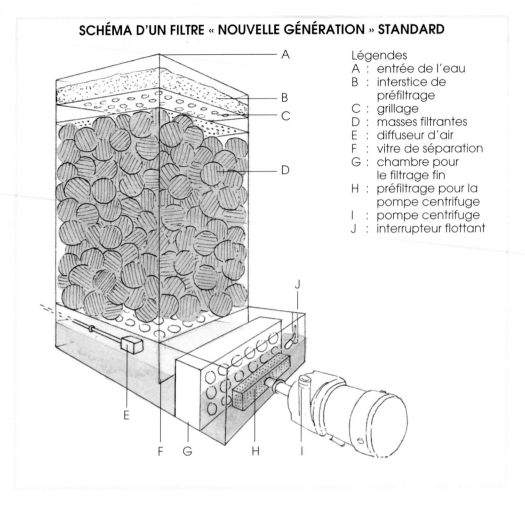

SCHÉMA D'UN FILTRE « NOUVELLE GÉNÉRATION » STANDARD

Légendes
A : entrée de l'eau
B : interstice de préfiltrage
C : grillage
D : masses filtrantes
E : diffuseur d'air
F : vitre de séparation
G : chambre pour le filtrage fin
H : préfiltrage pour la pompe centrifuge
I : pompe centrifuge
J : interrupteur flottant

tion où, grâce à une pompe centrifuge à forte hauteur d'élévation (résistance qui doit être vaincue pour pousser un liquide dans la direction voulue), elle retourne dans l'aquarium.

Comme on peut facilement le comprendre, les bactéries de ces filtres ont à leur disposition une énorme quantité d'oxygène : c'est pour cette raison que la population bactérienne est entièrement aérobie et qu'elle ne peut pas subir de dommages irréversibles, même en cas de panne généralisée qui dure deux jours. C'est en revanche ce que l'on observe avec un filtre traditionnel où deux heures sans énergie électrique suffisent à créer de gros dégâts.

Après avoir essayé différents systèmes de filtrage, je peux affirmer qu'à conditions égales, j'ai obtenu, avec mes discus, un plus grand pourcentage d'éclosion d'œufs dans les aquariums équipés de filtres « nouvelle génération ». Il me semble toutefois – mais peut-être n'est-ce qu'une impression – que les alevins qui parviennent à être sevrés représentent un pourcentage moins élevé que celui qui est relevé dans un aquarium équipé d'un filtrage traditionnel. J'ai essayé la reproduction dans des aquariums équipés aussi bien d'un filtre « nouvelle génération » que d'un filtre traditionnel, et mon impression s'est toujours vérifiée. Je vous conseille donc d'effectuer l'élevage dans un aquarium équipé d'un filtre « nouvelle génération », mais de recourir à un filtre traditionnel pendant la phase de reproduction.

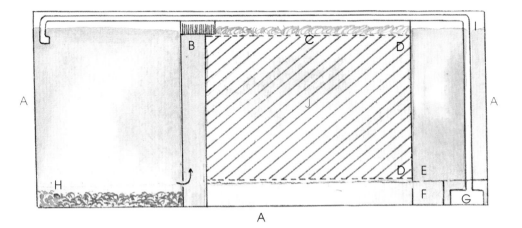

Légendes
A : vitres de l'aquarium
B : peignes pour l'aspiration de l'eau de surface
C : matériau de préfiltrage (laine de perlon)
D : grillage perforé
E : niveau d'eau intérieur du filtre
F : cuve vide (elle peut contenir de la tourbe, du charbon actif, de la résine, etc.)
G : pompe centrifuge à immersion (à forte hauteur d'élévation et à forte portée)
H : graviers
I : niveau d'eau
J : masses filtrantes

AVERTISSEMENT

Quel que soit le filtre choisi, il est important que le tuyau de sortie de la pompe soit sous la surface de l'eau, afin que le CO_2, indispensable pour la photosynthèse chlorophyllienne, ne soit pas entièrement libéré. Comme nous l'avons vu précédemment, les discus dans la nature vivent dans l'eau stagnante et il est donc déconseillé d'installer une pompe qui crée des remous.

Le système de chauffage

Je vais à présent vous donner à ce sujet quelques conseils issus de mon expérience, sans trop m'arrêter sur la description technique des appareils de chauffage :
– il faut toujours choisir des accessoires de très bonne qualité, de préférence à affichage digital ;
– il faut toujours comparer la température indiquée par les thermostats avec celle que vous prenez avec un thermomètre de précision au mercure, et noter les différences éventuelles.
Comme les dimensions de l'aquarium d'élevage sont importantes et que la température de l'eau destinée à accueillir les discus ne doit pas descendre sous les 28 °C, il

est conseillé, en fonction de la différence de température qui existe entre celle de l'aquarium et celle du milieu environnant, d'utiliser un appareil ayant une puissance comprise entre 0,5 et 1,5 Watt/l, et de la répartir sur plusieurs appareils de chauffage. Ainsi, si un appareil se dérègle, on réduit les risques de faire littéralement « bouillir » les poissons. En outre, l'utilisation de plusieurs appareils permet de ne pas infliger de grandes différences de température à l'intérieur de l'aquarium. Seule une variation de 2 à 4 °C est d'ailleurs autorisée.

Dans beaucoup de mes aquariums, j'ai installé un thermostat avec réglage extérieur équipé d'une sonde et relié directement aux appareils de chauffage situés à l'intérieur. Je peux ainsi faire varier la température en réglant le thermostat extérieur à la valeur désirée (normalement 28 °C) et les appareils de chauffage à une température supérieure de deux degrés environ. Cela me permet de régler la température de l'extérieur et, en cas d'avarie, de disposer d'un contrôle mutuel entre les appareils extérieurs et intérieurs pour éviter que la température de l'eau ne monte excessivement. L'eau de mon aquarium qui contenait un couple de « turquoise » avait par exemple atteint 53 °C avant que j'utilise ce système.

L'éclairage

Quel que soit le système choisi, de l'installation classique avec des tubes fluorescents à celle plus coûteuse mais beaucoup plus efficace avec des lampes à vapeur de mercure, le conseil reste le même : il faut toujours laisser au moins une zone d'ombre pour que les discus puissent s'y réfugier quand ils le désirent.

Comme les différents systèmes d'éclairage ont des effets plus importants sur la végétation que sur les poissons, je ne rentrerai pas trop dans le détail. Je rappellerai simplement que les hautes températures de l'eau augmentent le métabolisme des plantes et que celles-ci ont ensuite besoin d'un éclairage de bonne qualité et en quantité suffisante.

Je voudrais toutefois conseiller à tous les amateurs de discus de faire en sorte que les lampes ne s'allument pas toutes en même temps mais progressivement. Si l'installation est composée de néons, on peut obtenir cet effet en appliquant un minuteur à chaque lampe et échelonner leur allumage toutes les 45-60 minutes. L'éclairage doit normalement être en marche pendant 10 à 12 heures, et même être prolongé jusqu'à 14 heures quand on veut stimuler un couple pour la reproduction.

La « lune »

L'installation d'une « lune » est surtout conseillée pour les aquariums de reproduction, mais aussi pour les aquariums d'élevage : il s'agit d'une lampe à incandescence de 0,5 ou de 3 bougies ou, encore mieux, d'un néon de 4 Watts, que l'on allume quand le reste de l'installation est éteint. Cette précaution permet de ne pas stresser les poissons au moment où on allume la première lampe. S'il s'agit d'un couple avec des petits, ces derniers peuvent dormir sous cet éclairage en restant sous la surveillance de leurs parents.

Les appareils de mesure de l'eau

Pour permettre aux discus de vivre longtemps en bonne santé et de proliférer, il faut leur fournir une eau de très bonne qualité. C'est pour cette raison qu'un aquariophile, et à plus forte raison un amoureux des discus, doit toujours surveiller les caractéristiques chimico-physiques de l'eau de son aquarium.

On trouve dans le commerce aussi bien des appareils électroniques que des contrôleurs liquides ou sous forme de « languettes témoin » qui donnent de très bons résultats. Quel que soit l'appareil de mesure que l'on choisit, il est important de respecter les valeurs suivantes :

• Le pH (comme nous l'avons vu, il indique le degré d'acidité de l'eau) : la valeur idéale pour les discus oscille entre 5 et 6,45, selon qu'il s'agit de reproduction ou de simple élevage ; en réalité, les individus très jeunes ou qui viennent d'être sevrés peuvent très bien vivre si la valeur du pH est légèrement supérieure à 7.

• La dureté carbonatée (qui indique la quantité de carbonates dissous dans l'eau) : elle se mesure en kH et est très importante pour l'élevage des animaux de capture. Dans un aquarium comprenant des jeunes discus, il est préférable que cette valeur soit comprise entre 5 et 10, étant donné que ces poissons ont besoin de carbonate de calcium pour leur appareil osseux en pleine croissance. Les adultes ont des besoins nettement inférieurs car leur appareil squelettique est déjà formé.

• La dureté totale (qui indique la quantité totale de sels dissous dans l'eau) : elle est mesurée en degrés allemands ou degrés GH. Les valeurs recommandées sont : jusqu'à 10-12 °GH pendant la phase de croissance ; jusqu'à 5 °GH pendant la phase d'élevage et de reproduction.

• Les nitrites, les nitrates, l'ammoniaque : il faut mesurer ces différentes valeurs et les comparer à celles du tableau ci-dessous pour contrôler l'efficacité du filtre. Il ne faut jamais les mesurer après l'administration d'un repas parce que, comme le régime du discus est riche en protéines, cela risquerait de fausser les résultats.

• La conductibilité : exprimée en microsiemens, c'est un autre indicateur des quantités de substances dissoutes dans l'eau. Cette donnée extrêmement fiable est considérée depuis quelques années comme plus précise que les valeurs que l'on mesure en kH ou en degrés GH. Elle ne peut être mesurée qu'avec un lecteur électronique.

En ce qui concerne la correction des valeurs de l'eau, vous pourrez lire des indications dans des ouvrages spécialisés d'aquariophilie générale. De même, dans certains magasins, vous trouverez de l'eau correctement traitée et dont les conditions sont idéales pour que vous puissiez « démarrer » votre élevage. Tout cela ne vous dispense évidemment pas des contrôles ultérieurs car l'aquarium est un milieu « vivant » et ses valeurs peuvent s'altérer.

Les accessoires particuliers

L'appareil de diffusion de l'anhydride carbonique (CO_2)
Cet appareil remplit deux fonctions fondamentales : il est source de nourriture pour les plantes et joue un rôle capital pour maintenir le pH à un niveau constant. Il ne faut pas oublier à ce propos qu'une dureté carbonatée très basse (inférieure à 4 kH) rend l'eau instable (le pH peut varier d'un seul coup).

L'appareil de renouvellement continuel d'eau
Ce système favorise le bien-être des poissons en éliminant le risque d'accumulation des substances toxiques. Il est constitué d'un tuyau apportant continuellement de la nouvelle eau avec des valeurs chimico-physiques correctes. Cette eau provient du robinet (pour les heureux élus qui disposent d'une eau courante de bonne qualité) ou d'un réservoir contenant de l'eau prétraitée. Il faut en outre ajouter un clapet ou un trop-plein relié au tuyau qui

Éléments	Ammoniaque (NH_3)	Nitrites (NO_2)	Nitrates (NO_3)
Valeur	mg/l	mg/l	mg/l
Correct	0	0	< 40
Inquiétant	0,1	0,1/0,5	40
Dangereux	> 0,1	> 0,5	> 40

Installation de renouvellement continuel de l'eau. Au premier plan, immergé, le tuyau qui envoie l'eau. Sur l'aquarium, les deux tuyaux qui la reçoivent : le tuyau supérieur provient du filtre mécanique, le tuyau inférieur vient du système « osmoseur »

d'installer un système « osmoseur » qui permet de produire une eau idéale en grande quantité (il s'agit d'appareils dépuratifs utilisés de plus en plus souvent dans les habitations ; *cf.* le schéma en bas de page).

L'équipement de l'aquarium

Un discus peut très bien vivre dans un aquarium équipé qui ne respecte qu'en partie son milieu naturel. Toutefois, cela n'est pas une raison pour ne pas essayer d'aménager le mieux possible l'aquarium qui lui est destiné.

La première question à se poser est de savoir si l'on veut que les poissons évoluent dans un aquarium biotope (c'est-à-dire avec des poissons et des plantes provenant de même milieu naturel) ou bien si l'on souhaite ne respecter que des critères esthétiques.

Je vous rappelle que dans un aquarium de discus, la température ne doit jamais être inférieure à 28 °C, ce qui limite le choix des plantes. En effet, beaucoup de végé-

apporte l'eau. Ce système est moins destiné au simple passionné qu'à la personne qui a l'intention de créer un petit élevage. Dans ce cas, il peut aussi être intéressant

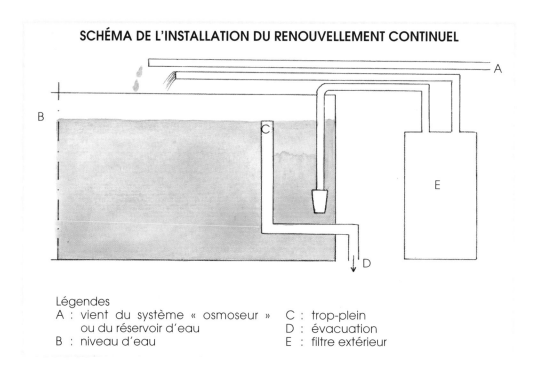

SCHÉMA DE L'INSTALLATION DU RENOUVELLEMENT CONTINUEL

Légendes
A : vient du système « osmoseur » ou du réservoir d'eau
B : niveau d'eau
C : trop-plein
D : évacuation
E : filtre extérieur

Un aquarium non biotope parfaitement aménagé pour les discus

taux ne s'adaptent pas à cette température ; d'autres réussissent à y vivre pendant quelque temps avant de montrer des signes d'épuisement et de perdre peu à peu leurs feuilles. Cela ne doit cependant pas vous effrayer puisque, dans la nature, le discus vit aussi dans un milieu pauvre en plantes mais très riche en troncs, sous lesquels il aime s'arrêter.

En ce qui concerne la végétation de l'aquarium biotope, vous pouvez choisir parmi le genre *Echinodorus*. Avec leurs nombreuses espèces aux feuilles larges, vous disposerez d'un très bon support pour la ponte. Parmi les *Echinodorus*, on peut mentionner :

– *E. maior* (ex. *E. martii*), *E. amazonicus* et *E. bleheri* (ex. *E. paniculatus*) sont les espèces de ce genre que l'on trouve le plus fréquemment dans les aquariums ;

– *E. osiris*, dont les feuilles sont d'une belle couleur rouge ;

– *E. orizontalis*, dont l'orientation des feuilles, comme son nom l'indique, facilite la ponte ; elle constitue une très belle plante pour le centre de l'aquarium ;

– *E. tenellus*, la plus petite de la famille, est très indiquée pour être disposée au premier plan. Elle n'est pas toujours facile à faire démarrer, mais une fois qu'elle s'est propagée, elle produit un très bel effet. Elle peut être remplacée par *Lilaeopsis attenuata*.

Un aquarium biotope doit également contenir :

– *Ceratophyllum demersum*, extrêmement résistante ;

– *Egeria densa*, une plante qui s'adapte à toutes les températures ;

– *Heteranthera zooterifolia*, une plante aux feuilles droites et aux fleurs bleu pâle ;

– *Echornia crassipes*, plante flottante aux feuilles charnues, conseillée pour les aquariums « ouverts », qui fleurit plusieurs fois

Aquarium ouvert éclairé par une lampe à incandescence

Echinodorus, une plante indispensable dans un aquarium qui abrite des discus

Echinodorus tenellus : une plante à disposer au premier plan

Ceratophyllum demersum, une plante extrêmement résistante

par an en donnant une très belle fleur violette ;

– *Alternanthera lilacina*, d'un rouge caractéristique, est une des plus belles plantes aquatiques brésiliennes que l'on puisse introduire dans son aquarium pour lui donner une touche de couleur.

Comme, dans la nature, le discus passe beaucoup de temps sous les troncs de mangrove et au milieu des plantes aux longues feuilles, je choisis souvent la *Vallisneria spiralis*, plante « universelle » qui vit longtemps ou la *V. gigantea* et *asiatica*, aux feuilles caractéristiques en spirale : ces végétaux remplissent le même rôle que les précédents, mais dans un aquarium non biotope.

Si l'on ne veut pas recréer un biotope, on peut s'orienter vers de nombreuses autres plantes, mais pour qu'elles soient compatibles avec le discus, elles doivent supporter une eau tendre et acide.

Il est conseillé de placer les plantes sur le fond et le côté de l'aquarium, afin que les poissons puissent s'y cacher quand ils le

Une Egeria densa *bien épaisse devant quelques cannes de bambou*

Alternanthera lilacina, *une plante sud-américaine rouge et merveilleuse*

Une Echornia crassipes *avec une fleur qui s'ouvre*

veulent. Les plantes peuvent être séparées par de la tourbe qui délimite ainsi plusieurs territoires, à l'intérieur desquels on dispose quelques *Echinodorus*. La partie centrale de l'aquarium peut être occupée par quelques rochers bas pour permettre aux poissons d'effectuer de longues traversées.

Les plantes disposées sur le fond de l'aquarium n'ont pas besoin de petit pot car le discus ne creuse pas et n'abîme pas les feuilles, sauf pendant les phases de nettoyage qui précèdent la ponte. Le fond qui accueille les plantes doit être constitué de fertilisant et de gravillons de taille moyenne, si possible de couleur foncée et recouverts de gravillons fins (2-3 mm). Il faut tenir compte de ce conseil parce que,

Aquarium commun non biotope

dans la nature, le discus s'alimente « en soufflant » sur le sable du fond pour faire apparaître les vers dont il se nourrit. Dans un aquarium, il utilise le même système et souffle sur la nourriture qui s'est déposée au fond avant de la manger. L'utilisation d'un gravier très fin est également utile pour favoriser l'opération de raclage du fond, puisque les éventuels résidus alimentaires resteront ainsi sur la couche du dessus.

Je voudrais rappeler que l'utilisation

Aquarium biotope à l'aspect très naturel qui contient des Ceratopteris thalictroides

Ludwigia : *une plante qui convient aussi bien pour un aquarium biotope que non biotope*

Le Paracheirodon innesi (appelé aussi « néon ») : une perle pour l'aquarium qui cohabite facilement avec les discus

d'extraits de tourbe pour créer un bel effet autour des discus peut gêner la propagation de la lumière dans l'eau et donc menacer la survie de certaines plantes.

Dans tous les aquariums dans lesquels j'ai élevé des *Symphysodon*, j'ai toujours pris la précaution de choisir une ou plusieurs plantes flottantes de l'espèce *Ceratopteris thalictroides* parce qu'elles utilisent les composés azotés et surtout fournissent une zone d'ombre : ceci est très important pour les aquariums qui sont équipés d'un éclairage puissant destiné à favoriser la croissance des plantes.

La compatibilité avec les autres poissons

À quelques exceptions près, les discus peuvent cohabiter avec de nombreux poissons qui ont les mêmes besoins qu'eux.

Les discus sont des poissons timides qui ne souffrent que de la présence de poissons très vifs comme les barbues ou certains Characidés, qui ont comme habitude de mordiller continuellement leurs nageoires. Ils peuvent donc vivre avec de nombreux poissons que l'on trouve dans le commerce, même s'ils préfèrent en général la tranquillité.

Si l'on désire un aquarium biotope, il faut choisir des poissons de la même provenance que les discus. Parmi les différentes solutions possibles, il faut se rappeler que la cohabitation est réussie avec des néons (*Paracheidoron innesi*) et, encore mieux, avec des cardinalis (*Cheirodon axelrodi*). Toutefois, les *Nematobrycon palmeri* ou *Hemigrammus ocellifer* conviennent aussi pour animer l'aquarium de leurs déplacements nerveux en bancs.

Dans les aquariums dans lesquels j'élève des *Symphysodon*, je place toujours quelques représentants des poissons cités ci-dessus ou bien je les remplace par des *Petitella georgiae*, qui n'occupent toutefois dans la nature que les zones voisines de celles du *Symphysodon aequifasciatus* : l'effet ainsi obtenu donne un résultat très naturel. Les poissons-hachettes (*Carneigella strigata* et *Carneigella mariae*) sont également très souvent présents dans mes

Aquarium commun habité par des discus, des scalaires et des Petitella georgiae

Petit banc de Petitella georgiae

Une des dernières espèces importées directement : Corydoras sterbai

Un Locaridé qui vit au fond de l'aquarium : Pterygoplyctys gibbiceps

Deux mâles de Microgeophagus ramirezi

Apistogramma cacatuoides mâle

Un aquarium commun qui abrite un couple de scalaires et un de discus

Les altum sont des compagnons d'aquarium idéals pour les discus

aquariums biotopes, notamment parce qu'ils peuplent une partie du bassin, juste sous la surface de l'eau, qui est rarement occupée par d'autres poissons.

Pour que le fond de l'aquarium reste propre, il faut y introduire beaucoup de poissons nettoyeurs comme le *Corydoras aeneus*, le *C. julii*, le *C. schwartzi*, le *C. sterbai* et *elegans*, qui peuvent être accompagnés de *Platydoras costasus*, de *Loricaria filamentosa* ou d'autres Loricaridés comme l'*Ancistrus*, ou bien le splendide *panaque*, le *Pterygoplyctys gibbiceps* et l'*Hypoancistrus zebra*.

Le milieu et le bas de l'aquarium peuvent être colonisés par des *Microgeophagus ramirezi* (connu sous le nom de *Papiliochromis ramirezi*), des *Apistogramma cacatuoides*, des *A. agassizi*, des *A. borelli* et d'autres encore qui peuvent trouver, parmi la végétation touffue, l'habitat idéal pour se reproduire.

En outre, si l'aquarium est suffisamment grand, rien n'interdit la cohabitation des discus avec des scalaires (genre *Pterophyllum*), sans craindre particulièrement la « maladie du trou » que nous décrivons pages 84 et 87 : en effet, d'après les découvertes récentes, on sait que cette maladie peut être prévenue en apportant plus de soin à l'alimentation des poissons. La cohabitation avec les magnifiques *Pterophyllum altum* de l'Orénoque, là où des discus ont été récemment signalés, peut être conseillée, même s'il faut tenir compte du fait que ces scalaires sont encore plus exigeants en ce qui concerne les caractéristiques de l'eau (pH inférieur à 6, kH et température GH basse), comparables à celles qui sont requises pour les discus sauvages. Si l'on veut avoir un aquarium biotope de l'Orénoque avec des *altum* et des *Symphysodon*, il faut y ajouter des *Cheirodon axelrodi*, des *Corydoras aeneus*, des *Ancistrus dolichopterus* et des *Microgeophagus ramirezi*.

L'alimentation

Dans la nature, les discus sont principalement zoophages. En aquarium, au contraire, on peut les élever comme des

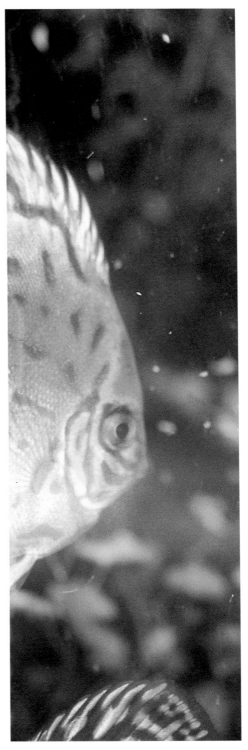

Malgré ce que l'on peut entendre, les discus ne se nourrissent pas d'aliments en paillettes

Certains discus mangent dans la main de leur éleveur

Un scalaire se nourrit avec un discus

omnivores en continuant toutefois à privilégier la nourriture d'origine animale.

On peut leur administrer de la nourriture vivante, comme *Tubifex*, sans dépasser les doses prescrites parce que leur contenu lipidique élevé peut entraîner de l'obésité et des troubles entériques. Les larves de moustique conviennent aussi : on peut les trouver aussi bien congelées que vivantes dans les magasins spécialisés. Il est d'ailleurs possible d'obtenir des larves vivantes pendant l'été en remplissant d'eau un gros récipient : rapidement, les moustiques adultes commencent à y pondre leurs œufs et une fois que les larves sont sorties, on les pêche avec une épuisette à mailles fines et on les donne aux poissons. On peut aussi leur administrer des daphnies, des lombrics et de l'*Artemia salina*, des lamelles de viande maigre ou de cœur bovin, ou encore une pâtée préparée selon la recette présentée dans l'encadré ci-dessous.

Les individus provenant de la capture peuvent avoir des problèmes d'adaptation à leur

LA « PÂTÉE » FAITE MAISON

Cœur de bœuf purifié, 1 kg
Filets de flétan épluchés, 400-500 g
Moules, 200 g
Crevettes décortiquées, 300-400 g au total
Coques, 200 g
Épinards broyés (seulement les feuilles), 500 g
Carottes, 200 g
1 jaune d'œuf par kilo de pâtée
Colle de poisson en quantité nécessaire pour obtenir la densité voulue

Tous les ingrédients utilisés doivent être frais. Il faut les laver, les essuyer, les homogénéiser et les mélanger. La préparation ainsi obtenue doit être réduite en tablettes suffisamment fines, placées dans des sachets de congélation qui sont ensuite mis au congélateur. On prélève au fur et à mesure la quantité dont on a besoin. Ce produit peut se conserver trois ou quatre mois. Pour obtenir des portions homogènes, on peut utiliser des bacs à glaçons et rassembler les tablettes d'aliment dans un seul récipient.

Comme on peut le deviner, ce type de nourriture offre l'avantage de pouvoir être préparé en grande quantité. Quand on décide d'en donner aux poissons, il suffit de prélever un cube aux bonnes dimensions, de le décongeler et de l'administrer. La « pâtée » de base peut être découpée en plus grandes portions pour les individus adultes ou à la taille d'un granule pour les alevins. Comme ces derniers ont besoin d'un plus grand pourcentage de calcium, il est conseillé d'augmenter légèrement la proportion de cœur bovin et de réduire celle des épinards.

La nourriture destinée aux adultes est mélangée avec de la colle de poisson : celle-ci est non seulement un élément nutritif mais elle sert aussi d'agglutinant. Elle peut toutefois être remplacée avec succès par de l'agar-agar.

nouveau régime. Si vous venez d'acquérir un banc de discus sauvages, vous aurez peut-être besoin du conseil suivant : pour les encourager à manger après leur période de quarantaine, vous devez les transférer dans un aquarium moyennement éclairé et les placer avec quelques scalaires inoffensifs et ayant bon appétit. Ainsi, les discus auront beaucoup moins de difficultés à accepter la nourriture, même si elle est sèche ou lyophi-lisée. Les aliments de ce type qui s'achètent dans les magasins spécialisés doivent être mouillés de temps en temps avec quelques gouttes d'un produit polyvitaminé, conte-nant également de la vitamine C, avant d'être administrés. En ce qui concerne les alevins, nous évoquerons ce sujet un peu plus loin dans le livre (*cf.* pages 73 et 74).

Exemplaire de « dragon »

Le comportement

Les variations de livrée

Les discus sont des poissons avec lesquels on peut établir un dialogue : en effet, ils sont capables de communiquer leur humeur à l'aquariophile (mais surtout à leurs compagnons d'aquarium) en changeant de coloration ou en faisant apparaître et disparaître leurs rayures, pour les espèces qui en sont pourvues.

C'est précisément en observant la coloration des discus que l'on peut savoir si les conditions de l'eau leur conviennent. Par exemple, si la température est inférieure aux 27-28 °C requis, les poissons présentent une coloration foncée et des rayures évidentes. Si la température est trop élevée, c'est-à-dire supérieure à 31 °C, on s'en aperçoit généralement parce que leur coloration standard de base s'éclaircit.

Il est évident qu'un aquariophile averti doit interpréter ces messages colorés et agir en conséquence. Dans le premier cas, il doit éviter que le métabolisme des poissons ne devienne trop bas parce que leurs enzymes travaillent de manière optimale quand la température est comprise entre 28 et 31-32 °C. Dans le second cas, il faut éviter que la concentration en oxygène dans l'eau, qui est plus basse à cause de la température, puisse porter atteinte à l'intégrité des poissons. Cependant, une coloration plus foncée n'est pas uniquement due à une température basse, mais aussi à une augmentation de nitrites et de nitrates ou à un écart du pH. Ainsi, si le pH est inférieur à 5,2, la coloration des discus devient grisâtre, en raison également de l'hypersécrétion de mucus due à la trop forte présence d'ions hydrogènes.

Pour être sûr que les variations de couleur de livrée sont bien dues à l'environnement, il faut observer tous les individus d'un aquarium, parce qu'à part une légère variation de couleur d'un sujet à un autre, tous les poissons doivent avoir la même coloration. Si l'on relève au contraire des colorations différentes entre les individus, on peut les attribuer aux différentes positions qu'ils occupent dans la hiérarchie.

La hiérarchie

À l'intérieur d'une communauté de discus, qu'ils soient deux ou vingt, il se crée toujours une hiérarchie dans un aquarium dès que les poissons sont âgés de trois ou quatre mois. En réalité, cela se produit si les poissons disposent d'un bassin suffisamment grand pour qu'ils aient tous envie d'avoir leur part de territoire. Ce phénomène disparaît, en revanche, si l'aquarium est beaucoup trop petit pour

Deux mâles appartenant au même niveau social se défient

le nombre de poissons. On peut d'ailleurs observer que, dans les aquariums de nombreux importateurs, l'instinct du territoire est inexistant chez les discus. C'est un peu comme quand on est sur une plage : on n'apprécie pas qu'un autre baigneur arrive avec son parasol et se place juste à côté de nous quand on est seul au milieu d'un grand espace, alors que cela ne nous gêne pas quand la plage est surpeuplée. Ce comportement est comparable chez les discus, tous les poissons et les autres animaux « territoriaux » (homme compris). L'exemple de la plage est important pour expliquer que, souvent, dans un aquarium surpeuplé, on ne parvient pas à repérer quel est l'individu dominant puisque tous les poissons ont la même livrée. Si l'aquarium comprend un nombre de poissons proportionnel au volume d'eau, on remarque que les discus ont des livrées aux tonalités différentes, avec ou sans rayures. L'individu dominant a des couleurs voyantes, est dépourvu de rayures verticales et occupe en général la partie centrale du bassin pour contrôler les sujets qu'il domine. Les autres discus ont une coloration moins vive et des rayures de plus en plus évidentes au fur et à mesure que l'on se rapproche des derniers échelons de la hiérarchie.

En définitive, celui qui ne présente aucune trace de rayures communique aux autres que c'est lui le « chef » et qu'il exige à ce titre le plus grand respect. Toutefois, cela ne le met pas définitivement à l'abri ; même dans la société des discus, l'échelle sociale connaît des soubresauts, et des escarmouches continuelles se produisent entre poissons de différents échelons, qui n'épargnent pas l'individu dominant.

Mais pourquoi les discus combattent-ils ? Essentiellement pour la reproduction. En effet, le chef, en général le mâle le plus grand, a la possibilité de s'accoupler avec la femelle située au rang hiérarchique le plus haut (et donc la plus forte), donnant ainsi une progéniture qui aura à son tour des petits ayant les mêmes qualités. Quand le mâle n'est pas dominant, il faut surveiller attentivement le couple qui se forme car il pourrait être composé de deux femelles.

À chaque fois que l'on introduit un nouveau discus dans un aquarium, on trouble (tout du moins au début) l'équilibre qui s'est instauré précédemment, surtout dans le bas de l'échelle.

Le nouvel arrivant, considéré par les autres poissons comme un intrus, est attaqué sans pitié mais d'une manière moins évidente que dans les bassins ne comprenant que des scalaires ou d'autres espèces de Cichlidés. Ainsi, on ne constate jamais, ou alors très rarement, de décès provoqués par des lésions subies à cette occasion. Pour éviter ces combats, il ne faut jamais introduire un seul discus dans un aquarium où l'équilibre règne ; s'il y a au moins deux éléments, la « colère » des occupants se répartit sur plusieurs individus et les dommages qu'ils subissent sont sans gravité.

Les combats

Il est intéressant de remarquer que les combats peuvent être différents selon les rapports qui se sont instaurés au sein d'un aquarium. En effet, si les poissons qui se battent sont des individus très jeunes ou de même rang, c'est qu'ils n'ont pas vraiment l'intention de combattre, mais seulement de renforcer la frontière qui sépare leurs micromilieux. Ils se placent alors côte à côte, parallèlement, tête-bêche, les nageoires entièrement déployées et ils se contentent de s'intimider mutuellement par des mouvements sinusoïdaux sans que cette attitude ne débouche sur un véritable combat.

Si en revanche deux poissons de même rang s'opposent avec des intentions belliqueuses, ils se placent l'un en face de l'autre et, en s'attrapant par la bouche, ils se repoussent d'avant en arrière comme dans une sorte de « bras de fer », jusqu'à ce qu'un des deux, voyant qu'il est battu, s'enfuie. Généralement, le vainqueur reste sur le lieu du combat pendant quelques instants en signe de suprématie ou bien, beaucoup plus rarement, se lance à la poursuite de son adversaire. Le face-à-face est aussi une attitude typique des couples avant la reproduction, comme nous le verrons plus loin.

Si, en revanche, deux individus de rang différent se croisent dans l'aquarium et que le plus faible des deux n'a aucune intention d'offenser son rival, sa livrée devient plus foncée que d'habitude et le poisson présente sa partie ventrale à l'adversaire : ce dernier se contente généralement d'y donner quelques coups de bouche sans provoquer aucune blessure. Cette attitude s'observe également souvent à l'intérieur d'un couple quand la femelle est particulièrement soumise au mâle.

Il peut aussi arriver que, quand deux discus de rang différent se rencontrent, l'individu soumis offre son flanc à son « supérieur » en effectuant un mouvement sinusoïdal, souvent dans le but de protéger son territoire. Le sujet dominant, au lieu de se placer de côté comme quand il rencontre un poisson de même rang, frappe le flanc de son adversaire avec sa bouche.

La reproduction

Tous ceux qui ont un jour admiré un couple de discus, venant de se reproduire, entouré de ses petits en train de se nourrir de leur « mucus », n'ont pu qu'être littéralement fascinés par ce spectacle.

Quand on élève des discus dans un aquarium, on souhaite généralement voir un couple se former. Ce qui est encore plus curieux, c'est qu'une fois que la reproduction a eu lieu, l'amateur de discus essaie toujours de renouveler l'expérience, contrairement à ce que l'on observe quand il s'agit d'autres Cichlidés (à l'exclusion du scalaire) : en effet, après une première reproduction – et donc après avoir résolu tous les problèmes qui se posent à propos de la reproduction de l'espèce – l'aquariophile perd un peu de son enthousiasme.

Une fois que la reproduction a eu lieu, il arrive en effet souvent que les « cichlidophiles » convaincus remplacent le couple qui vient de se reproduire par une espèce différente afin d'observer et d'obtenir un nouvel accouplement. Il en va autrement pour les discus : le passionné veille sur son couple comme sur un trésor, tente souvent d'obtenir une nouvelle reproduction et aménage même de nouveaux aquariums pour former d'autres couples. Je pense que cela s'explique non seulement par les caractéristiques de la reproduction de ces poissons, mais surtout par le rapport qui s'instaure entre l'amateur et ses protégés :

on est toujours satisfait de voir ce que ces derniers ont été capables de générer, tout en sachant qu'aucun discus ne ressemble à un autre.

Comment distinguer les sexes et reconnaître les couples

Quand on élève un petit groupe de poissons composé de quelques individus, on peut, au bout d'un an, commencer à observer des comportements un peu particuliers. Il arrive que deux sujets nagent de plus en plus souvent ensemble ou qu'un poisson en défende un autre. Il y a alors de grandes chances pour que ce soit le début de la formation d'un couple. Si c'est le cas, les deux poissons se mettent très vite à « vibrer », c'est-à-dire qu'à chaque fois qu'ils se croisent, leur corps est comme traversé par un frémissement. Cette attitude ne porte pas toujours ses fruits et cette forme d'intérêt réciproque ne débouche parfois sur rien.

Il est parfois difficile de reconnaître un couple formé de deux individus non dominants. En effet, le discus dominant ne voit généralement pas cela d'un bon œil et fait tout pour l'empêcher. En raison des escarmouches continuelles entre le « chef » et ses subordonnés qui combattent souvent

« Cerulea » mâle

Détail du front d'un « turquoise » mâle

côte à côte (ce qui constitue parfois le seul signe d'identification), il peut être difficile de distinguer un couple.

Il existe un autre phénomène qu'il ne faut pas sous-estimer, c'est celui de la formation de couples homosexuels. Cela se produit plus souvent que l'on ne croit dans les aquariums sans mâle ou bien dans les bassins où le mâle est soumis à au moins deux femelles (surtout s'il y a de grandes diffé-

rences de taille entre ce mâle et les deux femelles) : dans ces situations, on assiste à la formation d'un couple de femelles. Ce phénomène – qui s'observe aussi, mais plus rarement, chez les scalaires – peut induire un aquariophile expérimenté en erreur s'il n'a pas pris la précaution d'observer les papilles génitales du poisson au moment de la ponte. Nous verrons plus loin comment remédier à ce problème.

PAPILLE GÉNITALE MÂLE

De forme conique, elle n'est visible que pendant l'accouplement ou pendant les combats.

PAPILLE GÉNITALE FEMELLE (OVIPOSITEUR)

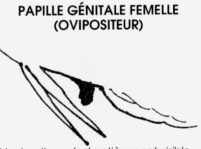

L'ovipositeur n'est entièrement visible que quelques heures avant le début de la ponte. La papille de la femelle, de forme cylindrique, est beaucoup plus grande que celle du mâle.

Comme nous l'avons dit, il est important de connaître le sexe de ses poissons mais on ne peut le déterminer avec certitude qu'au moment de la reproduction en observant les papilles génitales qui ne prennent leur forme véritable que durant cette phase (*cf.* le dessin sur la page ci-contre).

En réalité, il existe d'autres signes, appelés caractères sexuels secondaires, qui permettent d'identifier le sexe du poisson que l'on observe. Ces caractères sont toutefois beaucoup plus éloquents chez d'autres espèces animales que chez les discus, puisque chez ces derniers, ils peuvent varier d'une variété à l'autre et même d'un individu à l'autre. Si l'on pense que les discus d'espèces différentes peuvent être croisés très facilement et que cette faculté est même encouragée par les éleveurs professionnels pour obtenir de nouvelles races, il est logique que ces caractères ne soient pas toujours dignes de foi !

Toutefois, à titre d'information, on note que les mâles âgés de plus de trois ans présentent souvent une bosse frontale constituée de tissu adipeux qui donne à leur profil entre la bouche et la nageoire dorsale un aspect bombé typique. Un autre caractère sexuel secondaire du mâle est constitué par la présence de prolongements fili-formes à l'extrémité de la nageoire dorsale – également sur la nageoire anale chez certaines variétés – mais ils peuvent toutefois être aussi visibles chez la femelle.

Le choix des reproducteurs

Les reproducteurs doivent avant tout être âgés de plus d'un an. Je tiens à faire cette précision parce que de nombreux discus manifestent des dispositions dès l'âge de huit ou neuf mois. Il serait même préférable, selon certains spécialistes, de ne pas accoupler les poissons avant qu'ils ne soient âgés de vingt-deux ou vingt-quatre mois.

L'accouplement précoce des poissons peut entraîner des effets indésirables, surtout en ce qui concerne leur croissance. On sait en effet qu'après leur première reproduction, les deux partenaires, mais surtout la femelle, voient leur croissance ralentir. En outre, un accouplement précoce entraîne la ponte d'un faible nombre d'œufs.

Si l'on veut réduire les possibilités d'accouplement, il est conseillé d'élever un grand nombre de jeunes discus dans le

« Cerulea » : on remarque leur bosse frontale

même aquarium afin qu'ils ne puissent pas se créer un territoire pour se reproduire. Une fois qu'ils ont atteint le « bon » âge, on peut retirer les poissons dont le phénotype et le génotype nous intéressent le moins, et laisser les autres dans le même aquarium pour qu'ils aient beaucoup d'espace à leur disposition et qu'ils forment des couples.

En ce qui concerne le véritable choix des reproducteurs, il faut prendre en compte certains facteurs :

• Il faut accoupler exclusivement des animaux en bonne santé : cela semble évident mais cette règle n'est pas toujours respectée et, quand un des deux poissons est malade, cela risque de compromettre la santé de son partenaire et d'hypothéquer le résultat.

• Il ne faut pas accoupler des individus qui ont un lien de parenté très étroit : en effet, si l'on observe rarement (à part quelques exceptions) des tares héréditaires dès la première reproduction consanguine, celles-ci peuvent commencer à se manifester avec une certaine fréquence après la troisième reproduction et affaiblir considérablement la progéniture. Il est vrai par ailleurs que si l'on veut fixer certaines caractéristiques d'un poisson dans ses descendants, il faut croiser des discus qui ont un lien de parenté.

• Quand on effectue une reproduction consanguine, il est préférable d'accoupler un frère et une sœur plutôt qu'un père et une fille ou une mère et un fils. On évite ainsi plus facilement l'apparition d'un caractère dominant négatif (mais aussi naturellement d'un caractère dominant recherché).

• Il faut essayer d'accoupler des poissons de la même variété pour ne pas éparpiller le patrimoine génétique des deux partenaires.

• Il ne faut pas oublier que certains caractères, comme par exemple l'iris rouge, particulièrement recherché chez les « turquoise », les « cobalt » et autres discus, ne se manifestent que chez un sujet homozy-gote : ainsi, si l'on veut obtenir des petits ayant ce caractère, il faut que ses deux parents en soient pourvus.

Une fois que toutes ces précautions sont prises, il faut se demander quel est le but que l'on se fixe avec cette reproduction. On peut par exemple rechercher une reproduction naturelle sans se soucier du nombre d'alevins que l'on parviendra à élever : on opte alors pour un élevage du couple dans un aquarium parfaitement équipé ou bien on laisse les deux partenaires dans l'aquarium commun d'origine et on transfère les autres poissons dans un autre aquarium. Si l'on souhaite en revanche obtenir le plus grand nombre d'alevins possible, il est recommandé de disposer d'un véritable aquarium de reproduction absolument identique à ceux qui sont utilisés par les éleveurs professionnels. Nous verrons dans le prochain paragraphe quelles sont les caractéristiques de chaque aquarium.

L'aquarium de reproduction

Comme nous l'avons dit, l'installation du couple dépend du nombre d'alevins que l'on souhaite obtenir avec la reproduction. En mettant de côté la description de l'aquarium commun dont j'ai déjà beaucoup parlé dans un chapitre précédent – et dans lequel on réussit difficilement la reproduction –, je vais à présent décrire l'aménagement des deux véritables aquariums de reproduction les plus couramment utilisés.

• L'aquarium de reproduction équipé doit contenir au moins 80-100 litres et son fond être recouvert de gravillons plutôt foncés et fins. On y place quelques plantes à feuilles larges, de préférence *Echinodorus* ou *Spatiphyllum*, et une racine de tourbière ou, à la place, une plaque d'ardoise ou une autre pierre non calcaire, que l'on incline légèrement contre une des parois latérales pour faciliter la ponte.

D'un point de vue technique, il faut un

Un cône pour la ponte dans un aquarium de reproduction

appareil de chauffage, un système d'éclairage constitué d'un néon adapté aux dimensions de l'aquarium ou même plus petit, et une « lune » que nous avons décrite dans le paragraphe sur l'éclairage page 46. Le filtrage est confié à un filtre intérieur comprenant des compartiments remplis de laine de perlon, d'éponge synthétique et de matières filtrantes, et une pompe centrifuge à puissance réglable pour pouvoir réduire le courant pendant les premiers jours de vie des alevins : cette précaution permet d'éviter des mouvements d'eau trop importants qui empêcheraient les alevins de nager à côté de leurs parents ou d'être aspirés par le filtre. D'ailleurs, le grillage des bouches d'aspiration du filtre doit être remplacé par des bouts de résine pour filtres, pour que les alevins ne puissent pas passer à travers. On peut aussi utiliser un filtre extérieur à barillet à la place du filtre intérieur.

• La structure de l'aquarium spécial doit être entièrement en verre, aux dimensions décrites ci-dessus. Le bassin ne doit contenir aucun équipement à l'exception d'un cône en terre cuite de 10-15 cm de dia-

mètre à la base et de 20-30 cm de hauteur : celui-ci est placé au centre et sert de support pour la ponte des œufs. L'installation technique se limite à un appareil de chauffage, un filtre et un système d'éclairage ayant les mêmes caractéristiques que celles que nous avons décrites pour l'aquarium de reproduction équipé.

Dans les deux aquariums que je vous ai décrits, je place toujours un *Ancistrus* ou quelques *Corydoras* dans la même eau que le couple pour qu'ils servent de « catalyseur » (ce sont des éléments étrangers au couple qui ne font aucun mal aux discus, mais qui laissent planer une menace : cela favorise le rapprochement des deux discus tout en les stimulant dans les soins qu'ils vont prodiguer à leurs petits). À la surface de l'eau, je dispose une plante flottante appartenant au genre *Echornia* ou *Ceratopteris thalictroides* qui, comme nous l'avons dit, absorbe par ses racines les nitrates de l'eau et tranquillise en même temps les poissons.
Je rappelle en outre que l'aquarium de reproduction doit obligatoirement être placé dans un coin tranquille de la maison.

La cour et la parade nuptiale

Quand deux discus décident de former un couple, ils adoptent des attitudes qui échappent difficilement à l'attention d'un aquariophile attentif. En général, ils se mettent côte à côte pour pouvoir se défendre, choisissent le coin le plus retiré de l'aquarium ou celui qu'ils considèrent comme le plus sûr.
Les deux poissons continuent ensuite à « vibrer » presque en harmonie et le mâle, dont la livrée devient très intense, passe souvent devant la femelle en accomplissant une sorte de trajectoire parabolique. Peu avant l'accouplement et la ponte, on peut observer chez la plupart des variétés que la nageoire caudale devient plus foncée et même parfois presque noire.

D'après mon expérience, je pense qu'il ne faut pas transférer les poissons dans un autre aquarium avant la première reproduction, mais qu'il est préférable d'attendre que la première ponte ait eu lieu. Ce n'est qu'après que l'on pourra le faire, quand les poissons auront commencé leur parade nuptiale pour un nouvel accouplement.

Il faut se faire une raison : la première reproduction donne rarement de bons résultats. Je ne dis pas cela par pessimisme mais parce qu'en général, lors des 5-6 premières reproductions, les reproducteurs mangent leurs œufs, même si les caractéristiques de l'aquarium sont idéales. En outre, si les partenaires ne mangent pas leurs œufs, il arrive souvent qu'ils dévorent leurs larves dès qu'elles sortent ou bien qu'ils ne soient pas capables de nourrir leurs petits avec leur « mucus ». Quand les premières expériences se passent mal, on recherche l'erreur qui a pu provoquer l'échec sans parvenir à la trouver : on change alors quelque chose, on acidifie l'eau, mais les poissons continuent à refuser de collaborer jusqu'à ce que, comme par enchantement, la première reproduction aille à son terme sans que l'on parvienne à savoir quel a été le changement qui a été déterminant.

Personnellement, je pense qu'un couple doit « mûrir » tout doucement et apprendre à s'occuper de ses petits. Il m'est arrivé de pouvoir observer des couples qui, avant de réussir à mener une reproduction à son terme, mangeaient leurs œufs puis les laissaient parfois éclore avant de dévorer leurs petits, ou encore ne les mangeaient pas mais les perdaient tous dans l'aquarium. Selon certains auteurs, les petits sont parfois dévorés parce que le mâle est désireux de s'accoupler à nouveau ; cette explication attribue toutefois un comportement humain aux animaux alors que selon toute probabilité, ils sont guidés par des exigences que l'on ignore. Quelle que soit la raison de leur action, de nombreux mâles commencent à courtiser la femelle avec beaucoup d'intensité une fois qu'ils ont commis leur « méfait ».

La ponte des œufs et l'éclosion

Comme nous l'avons vu, la reproduction comprend plusieurs phases successives : le choix du partenaire, la cour, la ponte, l'éclosion, la période larvaire, la période de croissance liée aux sécrétions parentales et enfin le sevrage. J'ai déjà évoqué précédemment tout ce qui précède la ponte, mais c'est précisément durant cette phase que le passionné peut connaître les expériences les plus fascinantes avec ces poissons fantastiques.

Les œufs sont pondus sur une feuille suffisamment grande et rigide ou bien sur la surface d'un tronc, d'une pierre, sur la vitre de l'aquarium ou encore sur n'importe quel autre équipement, y compris sur un appareil de chauffage : dans ce dernier cas, les œufs

Sur ces photos, on assiste aux différentes étapes de la reproduction : le début de la ponte, l'apparition des larves et les petits une fois sevrés

risquent pourtant de « cuire » avant de s'ouvrir. En général, la ponte a lieu en fin d'après-midi, quelques heures avant que les lampes ne commencent à s'éteindre.

La ponte dure, selon le nombre d'œufs, de 40 minutes à une heure et demie. Le nombre d'œufs varie de 150 à 400 mais certaines femelles, surtout lors des premières reproductions, arrivent difficilement à pondre entre 80 et 100 œufs.

Avant de commencer la ponte, les deux poissons nettoient la surface qu'ils ont choisie pour cela et, de temps en temps, la femelle commence à y passer son ovopositeur en simulant la phase de ponte véritable ; parfois, mais pas chez tous les couples, le mâle accomplit les mêmes mouvements que la femelle avec son organe reproducteur au-dessus de ladite surface.

Après cette phase initiale, la femelle repasse plusieurs fois au même endroit et pond quelques œufs réunis en fils sous les yeux attentifs du mâle. Quand une partie des œufs a été déposée, la femelle s'arrête et laisse le mâle passer au-dessus d'eux pour la fécondation, qu'il effectue avec des mouvements identiques à ceux de la femelle.

Les œufs, qui sont jaunâtres et transparents au moment de la ponte, mesurent environ 1,3 mm de long pour 1,2 mm de large. Ils ont tous la partie apicale vers le haut. Durant cette phase, les discus s'approchent assez fréquemment de leurs œufs et ils accomplissent des mouvements articulés avec leurs nageoires latérales pour faire circuler l'eau autour d'eux.

L'éclosion se produit entre 48 et 60 heures après la ponte mais déjà, au bout de 36 heures, les œufs ne sont plus transparents en raison du début de la formation des larves. Naturellement, les conditions de l'eau doivent être parfaites avec notamment une faible présence bactérienne et mycosique, pour éviter que l'action agressive de ces agents ne puisse tuer l'embryon présent dans l'œuf et réduire à néant tous nos rêves d'éleveur. Pour limiter en partie ces risques, certains mettent dans leur aquarium du bleu de méthylène.

Jeunes discus

L'éclosion représente la première phase véritablement délicate de la reproduction parce que les poissons, quand ils voient leurs œufs émettre de légères vibrations sous la poussée interne des larves, les ouvrent et prennent les larves dans leur bouche pour les déposer sur une autre surface précédemment nettoyée.

Pendant cette phase, certains poissons n'hésitent pas à manger toutes les larves, surtout s'ils sont trop dérangés par ce qui se passe à l'intérieur ou à l'extérieur de l'aquarium. Les larves, une fois sorties de l'œuf, adhèrent à la surface sur laquelle elles ont été posées grâce à un filament adhésif placé sur le sommet de leur tête. Pendant cette période et jusqu'à ce que les larves aient absorbé le sac vitellin dont elles sont toutes dotées, les parents prennent de temps en temps leurs petits dans leur bouche avec infiniment de précautions et les nettoient avec des mouvements appropriés, avant de les recracher là où ils avaient été aspirés.

Cette phase dure de 3 à 5 jours. Après cette période, les larves ont absorbé leur sac vitellin et commencent à se détacher de leur support. Les parents font tout ce qu'ils peuvent pour qu'elles y restent, mais ils n'y parviennent qu'en partie et ils finissent pas être entourés de leurs petits qu'ils nourrissent du produit de leur sécrétion cutanée.

C'est un spectacle incroyable que d'assister à cette scène à la fois émouvante et exaltante. Les alevins entourent d'abord l'un des parents dont ils se nourrissent puis, au bout de quelques minutes, quand celui-ci n'a plus de mucus, il se secoue énergiquement à proximité de son partenaire. Il invite ainsi ses petits à passer à l'autre géniteur. Au fur et à mesure que le

temps passe, cette opération est effectuée de plus en plus rapidement parce que les petits grandissent et que leurs besoins augmentent, alors que la quantité de mucus produite par les parents reste constante.

Si la portée est particulièrement nombreuse, il peut être conseillé, au bout de 7 ou 8 jours, d'administrer des nauplius[1] d'*Artemia salina* à peine éclos ou des cyclopes marins congelés en supplément à la pâtée pour adultes décrite page 59 ; il faut toutefois que cette dernière soit homogénéisée et non pas mélangée à la colle de poisson pour être plus facile à attraper. Au fil des jours, les jeunes discus se nourrissent de moins en moins du mucus de leurs parents et s'intéressent de plus en plus à la nourriture donnée par l'aquariophile.

Il peut être utile d'avoir recours à de la nourriture lyophilisée imprégnée de complexes vitaminés ou d'acides aminés, ou

Jeunes discus qui prennent leur coloration définitive

1. Le nauplius est le stade larvaire de la plupart des crustacés.

Pour éviter que les alevins restent sans nourriture, il existe un système très pratique qui consiste à utiliser une batterie de quatre distributeurs dans lesquels on place toutes les douze heures, à tour de rôle, des œufs d'*Artemia*. Comme les œufs d'*Artemia* mettent à peu près 48 heures à éclore, cela permet de disposer continuellement de nauplius en grande quantité. La rapidité d'éclosion des œufs d'*Artemia* augmente quand la température de l'eau est de 28-30 °C environ, avec 30 grammes de sel par litre d'eau.

encore de découper ou de broyer quelques Chironomus, en alternance avec les autres aliments déjà cités.

À ce stade, les jeunes discus peuvent être transférés dans un autre aquarium pas très grand pour faciliter leur alimentation ; ils doivent être nourris abondamment en n'oubliant pas de changer souvent l'eau – même tous les jours – et d'intégrer à leur nourriture de la vitamine C, de la vitamine D et du calcium.

Par la suite, il faut les répartir dans plusieurs aquariums pour que ceux qui mangent plus vite et donc grandissent plus rapidement, soient séparés des plus faibles. Les aquariums ne doivent jamais être très petits mais suffisamment spacieux pour permettre aux jeunes discus de se déplacer librement et afin que leurs nageoires ne soient pas abîmées à cause du surpeuplement.

Problèmes liés à la reproduction

Comme nous l'avons vu, le succès de la reproduction dépend du déroulement parfait d'une série de phases successives et

« Turquoise striped » femelle pendant la phase qui suit la ponte, sur le tuyau d'aspiration du filtre

Un « turquoise rouge » mâle et la même femelle « turquoise striped » que sur la photo précédente, pendant une autre phase de la ponte

reliées entre elles. L'aquariophile doit les suivre avec le plus grand soin en veillant particulièrement aux caractéristiques de l'eau, à l'équipement et à l'aquarium en général ; il faut également que les parents poissons apportent des soins suffisants.

Un échec dans la reproduction n'est pas toujours dû à l'inexpérience des poissons, mais est souvent causé par des erreurs plus ou moins grossières commises par celui qui les a en charge. Après un échec, il est donc toujours bon de passer en revue tous les paramètres variables dont j'ai parlé précédemment.

Quant aux problèmes dus aux poissons, ils peuvent surgir au cours de toutes les phases de la reproduction, comme nous allons le voir.

• Les œufs peuvent ne pas s'ouvrir pour différentes raisons : ils peuvent blanchir quelques heures après la reproduction à cause d'un problème bactérien ou osmotique dû à une eau trop dure ou à un mauvais pH, ou encore être agressés par des bactéries présentes dans une eau trop polluée.

Il arrive parfois que les œufs, en moisissant, se recouvrent d'un duvet blanchâtre semblable au coton : ce sont des hyphes[1] de mycélium qui vivent très concentrées dans l'aquarium. Pour régler ce problème, il faut changer l'eau et rétablir les bons paramètres ; en cas de présence de mycètes, il faut verser un antibiotique ou un produit antimycosique et du bleu de méthylène si les bactéries sont en cause.

Si en revanche les œufs ne s'ouvrent pas mais ne blanchissent pas, c'est parce qu'ils n'ont pas été fécondés. Il peut en effet arriver qu'au moment de l'accouplement, le

1. Les hyphes sont les filaments qui forment le corps des champignons.

Une femelle « cobalt » en train de surveiller ses œufs entièrement moisis

*D'autres œufs moisis surveillés par
un « turquoise » mâle*

Œufs blanchis

mâle, distrait par les autres poissons de l'aquarium ou par un aquariophile trop curieux, se désintéresse en partie ou complètement des œufs que la femelle est en train de pondre, ce qui entraîne un pourcentage d'éclosion très bas, voire nul. La même chose peut se produire s'il s'agit d'un couple homosexuel formé par deux femelles, comme nous l'avons vu précédemment. C'est la raison pour laquelle il est important d'observer les papilles génitales des conjoints pour éviter toute mauvaise surprise. Dans un tel cas, la seule solution est de séparer les deux partenaires et d'essayer de trouver des mâles pour permettre l'accouplement.

• Un des problèmes les plus redoutés des possesseurs de discus est la prédation des œufs de la part d'un ou des deux partenaires. Cette attitude, tolérée lors des premières pontes, peut devenir chronique chez certains individus. On y remédie en

Un « pigeon blood » femelle observe ses œufs derrière le grillage

changeant un des partenaires ou bien, comme le font les éleveurs professionnels, en plaçant un grillage autour du cône en terre cuite sur lequel a lieu la ponte, comme le montre la photo ci-dessous. Avec ce système, les poissons ne parviennent pas à manger leurs œufs ni leurs larves et, dans de nombreux cas, les pontes suivantes sont couronnées de succès sans l'aide du grillage. Avant d'avoir recours à cet expédient, il faut toutefois être certain qu'il n'y a pas trop d'agitation autour de l'aquarium au moment de la ponte, car cela pourrait expliquer l'agitation des reproducteurs.

• Si les larves n'adhèrent pas au support avec leur pédoncule adhésif, c'est souvent à cause d'un pH trop élevé ou d'une dureté totale supérieure à 8 °GH.
Un autre moment crucial, c'est quand les larves, qui sont devenues des alevins, essaient de se détacher de l'endroit où elles sont placées et que leurs parents les prennent dans la bouche pour les remettre à leur place. Dans cette situation, certains couples semblent pris de panique et peuvent manger leurs petits. En général, cette attitude disparaît avec le temps. Si les reproducteurs mangent leurs œufs ou leurs larves au moment de l'extinction des lampes, utilisez la « lune » si cela n'a pas déjà été fait. Si l'on n'obtient pas les résultats espérés avec ce procédé, il est possible de laisser la lumière allumée pendant toute la période nécessaire.

• Un autre problème qui n'est pas toujours simple à résoudre est celui qui est provoqué par les crises de jalousie entre les partenaires qui voudraient garder les petits uniquement pour eux. Dans certains cas, ce n'est qu'une manifestation de nervosité qui peut être corrigée en diminuant l'intensité de l'éclairage de l'aquarium ou bien en séparant les deux parents et en ne laissant avec la progéniture que le plus fort des deux. D'après mon expérience, je peux affirmer qu'au moins une partie des petits, si la couvée est nombreuse, ou la totalité d'entre eux, si leur nombre ne dépasse pas 40 ou 50, peut être élevée par

La même femelle « pigeon blood » avec ses larves « sauvées » par le grillage

Toujours la même femelle « pigeon blood » avec son partenaire (« turquoise rouge » mâle) en train de surveiller leurs larves

un seul des deux géniteurs. Si la jalousie entre les deux partenaires est connue à l'avance, il suffit de faire une séparation dans l'aquarium, de placer un parent de chaque côté et de lui confier une partie de la couvée : pour cette répartition, il faut tenir compte de la taille de chacun des partenaires et de son aptitude à s'occuper de ses petits s'il s'agit d'un couple qui s'est déjà reproduit avec succès dans le passé.

Il arrive parfois que, pendant la nuit, les poissons perdent une partie de leurs petits. Cela peut être considéré comme « physiologique » lors des deux ou trois premières nuits mais cela doit être ensuite résolu par l'utilisation du procédé de la « lune » décrit précédemment.

• Enfin, si les géniteurs ne produisent pas du tout de mucus ou bien pas suffisamment pour leurs petits, cela est généralement dû à des paramètres incorrects de l'eau (dureté et pH trop élevés). Il faut en effet rappeler que, selon des études poussées, on s'est aperçu que la plus grande production de mucus survenait quand le pH était égal à 4,98 ! Cela ne signifie pas qu'il faille respecter cette valeur, mais qu'en conservant

un pH de 6 et une dureté maximale de 5 °GH, on ne devrait pas rencontrer de problèmes. Il est également important de respecter une valeur en nitrates qui soit la plus basse possible : si la proportion dépasse 30 mg/l, il peut ne pas y avoir de mucus, même si les œufs éclosent avec des valeurs supérieures ou égales à 100 mg/l !

En outre, certaines variétés comme les magnifiques « pigeon blood » sont considérées comme des poissons incapables de produire suffisamment de mucus et leurs petits sont donc confiés à des couples de discus d'autres variétés avec lesquelles on procède à un échange d'œufs. Pour certains spécialistes, ce phénomène serait dû à l'absence de cellules productrices de mucus qui devraient normalement posséder le pigment bleu, absent chez les « pigeon blood ». D'autres éleveurs contestent cette affirmation et disent qu'ils disposent de couples de cette variété qui s'occupent de leur progéniture comme n'importe quels autres discus.

Finalement, une fois que l'on a réussi à surmonter tous ces obstacles, on se retrouve devant un spectacle vraiment incroyable. En effet, en 70 jours, les alevins passent de la forme en bâtonnet typique de tous les poissons à celle de petit discus. Après s'être nourris du mucus de leurs parents pendant 8 ou 10 jours, les petits doivent recevoir en plus des nauplius d'*Artemia salina* à peine éclos, des larves de *Chironomus* finement broyées et, ensuite, de la pâtée décrite précédemment page 59, réduite pratiquement en bouillie pour permettre à tous les petits de se nourrir sans difficulté. Le seul inconvénient des larves de *Chironomus* broyées et de la pâtée est la pollution de l'eau qu'elles provoquent : l'unique moyen d'y remédier est de changer souvent l'eau.

Il est conseillé de transférer les petits dans un aquarium spécial aux dimensions proportionnelles au nombre d'alevins dès que les géniteurs manifestent le désir de s'accoupler à nouveau : en effet, tous les couples n'attendent pas que leurs petits « soient grands » pour se reproduire encore une fois. Il y a des couples qui pondent leurs œufs alors que les petits de la couvée précédente sont encore dans l'aquarium et ils les laissent même dévorer les nouveaux œufs ; d'autres en revanche ne s'accouplent que quand les alevins précédents ont suffisamment grandi mais ils n'hésitent pas à les manger tous.

Il arrive toutefois que, malgré tous les efforts et les soins que l'on apporte, on ne parvienne pas à mener une reproduction jusqu'au bout. Il ne reste alors malheureusement qu'à changer de couple ou bien qu'à remplacer un des deux partenaires. Il ne faut pas oublier que l'on peut aussi souvent former un couple en mettant ensemble au dernier moment deux poissons qui manifestent le désir de s'accoupler mais qui n'ont pas été élevés ensemble. C'est précisément sur ce facteur surprise que de nombreux éleveurs s'appuient pour obtenir des croisements ou des reproductions particuliers. À la fin de la reproduction, le couple peut rester ensemble ou bien retourner vivre séparément.

On affirme que certains poissons ont perdu leur aptitude à la reproduction parce qu'ils ont été élevés artificiellement à l'aide d'une « potion magique » à la place du mucus par quelques éleveurs professionnels – comme Jack Wattley, le père des « turquoise ». En réalité, ce que l'on appelle communément le « mucus » est une sécrétion qui n'est pas produite par les cellules épidermiques du poisson mais par celles de leur partie apicale qui, sous l'effet des hormones de la reproduction, subissent une modification ; les cellules contiennent alors un concentré de glucides, lipides et protides idéal pour répondre aux besoins nutritifs des nouveau-nés, que ces derniers peuvent en outre atteindre très facilement. Honnêtement, même si cette formule provient de l'expérience des éleveurs, je continue à penser que ce procédé prive le passionné de toute la partie la plus belle du comportement de ce poisson fantastique.

Au moment de transférer les petits discus dans l'aquarium de leurs parents, il faut que l'eau de leur nouvelle « demeure » ait les mêmes caractéristiques et la même disposition que la précédente, afin de leur éviter le stress du transport. Ce n'est qu'ensuite que l'on peut changer ces paramètres extrêmes de l'eau pour arriver à un pH dont la valeur ne dépasse pas 7,2, un kH de 5-6 et une température GH allant jusqu'à 10-12 °.

Cette eau beaucoup plus riche en sels favorise le développement de l'appareil squelettique des jeunes discus. On peut conserver ces paramètres jusqu'à la fin de leur période de croissance, c'est-à-dire jusqu'au moment de leur reproduction. Comme nous l'avons vu précédemment, l'eau doit avoir alors des valeurs très différentes.

Petits discus à peine sevrés

Les maladies

Le but principal de ce chapitre, qui s'adresse aussi bien à l'amateur chevronné qu'au lecteur qui élève pour la première fois des discus, est de dresser la liste de certaines maladies qui peuvent toucher ces poissons. Vous trouverez en résumé certaines des maladies les plus courantes et qui sont identifiables sans avoir besoin d'un microscope ou d'instruments spécifiques.

Si cet aperçu ne vous suffit pas, je vous conseille de vous procurer un livre qui traite uniquement des maladies des poissons d'aquarium (par exemple, *Les maladies des poissons d'aquarium*, de M. Millefanti aux Éditions De Vecchi, 1997) et même, si vous voulez en savoir encore plus, un traité sur la pathologie du poisson. Vous allez vous apercevoir que pour le discus, comme d'ailleurs pour d'autres poissons, il n'y a rien de plus faux que de dire « être comme un poisson dans l'eau ». Pour que vos poissons soient en bonne santé, il serait plus approprié d'utiliser le dicton « mieux vaut prévenir que guérir ».

La cause de la plupart des maladies, ou tout du moins de leurs manifestations, est due à des valeurs inadaptées de l'eau (acidité, dureté, composés azotés), à certains désordres nutritionnels (carence en vitamines et oligo-

Un discus ayant reçu une alimentation déficiente en oligo-éléments

Un discus malade

éléments, régimes déséquilibrés et inadaptés) ou enfin, mais tout aussi important, à de mauvaises conditions de vie. Parmi ces dernières, on peut relever le surpeuplement, la température ou les systèmes de filtrage inadaptés.

Un discus est malade quand :
– il ne mange pas ;
– il se déplace sans ouvrir ses nageoires ;
– il a des mouvements inhabituels ;
– il a tendance à se cacher, y compris sans motif apparent.

Comme nous l'avons dit précédemment, il faut toujours observer longuement le poisson que l'on a l'intention d'acheter. En revanche, si c'est un poisson que vous possédez depuis longtemps qui présente ces symptômes, attention ! Si vous n'avez introduit aucun nouveau poisson dans votre aquarium, et que vous excluez tout cas de contagion (une nouvelle plante peut même en être responsable !), cela signifie qu'il existe une forme latente de maladie dans votre bassin et que celle-ci, pour des raisons à découvrir, est en train de se déclencher.

Les maladies les plus courantes

Les maladies que je vais décrire (il ne s'agit que des principales) sont réparties en fonction de leurs causes :
– virus ;
– bactéries ;
– mycètes ;
– protozoaires ;
– métazoaires ;
– crustacés.

Maladies virales

Lymphocytose

En raison de son aspect, elle est aussi appelée « maladie nodulaire ». En effet, provoquée par le virus *Lymphocystis*, elle se manifeste par la formation d'excroissances sphériques qui forment parfois des amas de nodules en forme de chou ou de grappe.

Le virus se reproduit à l'intérieur de la cellule jusqu'à ce que celle-ci ait atteint une tension extrême et qu'elle éclate, libérant les nouveaux virus qui vont ainsi coloniser les autres cellules. Il peut arriver ensuite que le microorganisme passe dans le réseau sanguin et envahisse tous les organes, avec les conséquences que l'on imagine.

Cette pathologie se manifeste chez les poissons qui viennent d'arriver dans l'aquarium et qui s'acclimatent mal, ou bien chez ceux dont le mucus qui recouvre le corps a été endommagé durant le transport, favorisant ainsi l'action du virus. Cette maladie contagieuse a un cours lent.

• *Soins*

Comme il s'agit d'une maladie virale, il n'existe pas encore de médicament spécifique.

On obtient toutefois de bons résultats en effectuant de fréquents renouvellements d'eau partiels, en administrant au poisson des oligo-éléments, des vitamines et de la nourriture fraîche.

Si les parties touchées sont les nageoires, ce qui se produit fréquemment, on peut sectionner avec une pince et des petits ciseaux une partie de la nageoire atteinte pour retirer le kyste. Après cette intervention, il est important de placer le poisson dans un bassin dont l'eau est mélangée à un antibiotique de protection (il faut consulter le vétérinaire).

Maladies bactériennes

Exophtalmie

Son signe caractéristique est la saillie anormale de l'œil. La bactérie peut causer des lésions exclusivement oculaires ou bien progresser en touchant certains organes internes comme le foie, les reins et le pancréas, provoquant ainsi une ascite, c'est-à-dire une accumulation de liquide dans la cavité péritonéale (*cf.* plus loin).

Dans certains cas, les poissons touchés peuvent perdre un de leurs yeux ou les deux, tout en continuant à vivre.

Cette maladie est provoquée par *Aeromonas punctata*. Elle peut être mono ou bilatérale.

• *Soins*

Si l'exophtalmie est primaire, c'est-à-dire que ses symptômes ne sont pas associés à ceux d'autres maladies et qu'elle n'accompagne pas d'autres maladies comme l'hydropisie (que nous verrons juste après), elle peut se soigner dans la plupart des cas, surtout si l'on intervient à temps. Il est conseillé d'utiliser de la tétracycline dissoute dans l'eau (*cf.* pages 87 et 88) et d'appliquer sur les yeux du poisson une pommade ophtalmique trois ou quatre fois par jour.

Hydropisie ou Ascite

Elle est facile à diagnostiquer : l'animal atteint présente un abdomen très proéminent en raison de l'accumulation de nombreux liquides provenant de la désagrégation organique. Dans la phase terminale de la maladie, les écailles se soulèvent en suivant la déformation de l'abdomen.

Comme l'exophtalmie, cette pathologie a pour cause l'*Aeromonas punctata*. Dans ce cas, toutefois, ce sont essentiellement le foie, les reins, la rate et le pancréas qui sont touchés. Certains spécialistes ont émis l'hypothèse que la cause de cette maladie était virale et que la bactérie en question n'apparaissait qu'ensuite ; pour d'autres auteurs, l'*Aeromonas* ne toucherait que des animaux mal nourris ou mal élevés.

• *Soins*

On peut soigner l'animal seulement dans les premières phases de la maladie avec du chloramphénicol (CAF, *cf.* pages 87 et 88). Il est conseillé de baisser la température de l'eau car si elle est trop élevée, elle peut contribuer à la genèse et à la diffusion de la maladie.

Corrosion des nageoires, des branchies et de la peau

Les poissons n'ont plus du tout de nageoires ou n'ont que les rayons épineux. Leur respiration est haletante et l'augmentation des mouvements branchiaux met en évidence les lésions présentes sous l'opercule. Des plaques rougeâtres et des desquamations sur le corps, autour de la lésion, en sont d'autres signes évidents, mais pas toujours faciles à voir.

Corrosion des nageoires d'origine bactérienne

Il est difficile de parvenir à identifier la bactérie responsable de cette maladie sans recourir à un examen de sensibilité bactérienne (antibiogramme). Les bactéries les plus fréquemment en cause sont *Pseudomonas*, *Aeromonas* et *Corynebacterium*.

Le facteur déclenchant semble être lié à des conditions de vie inadaptées. Le pronostic est toujours réservé et souvent sans espoir.

• *Soins*

On peut essayer des antiseptiques ou certains antibiotiques, en espérant trouver celui qui est spécifique à la bactérie responsable des lésions. Attention aux infections secondaires dues à des mycètes (*cf.* plus loin).

Furonculose

On peut rencontrer assez fréquemment des nodules purulents sur le corps des poissons, sans autres manifestations évidentes de maladie.

Elle est provoquée par différents types de bactéries.

• *Soins*

Il arrive souvent que les nodules guérissent seuls au bout de quelques jours, entraînant la disparition de la lésion. On peut aussi administrer au poisson des antibiotiques (CAF, Tétracycline, Sulfamide ; *cf.* pages 87 et 88).

Maladies mycosiques

Mycose commune

La maladie se présente sous forme d'innombrables hyphes à l'endroit qui est touché. Elles forment une sorte de dépôt cotonneux qui se détache souvent du poisson quand on sort celui-ci de l'eau (attention, la disparition du « coton » ne signifie pas la guérison du poisson). On rencontre ces filaments sur tout le corps et en particulier sur la bouche (certains auteurs prétendent qu'il s'agit dans ce cas du mycète *Chonohococcus columnaris*). Cette maladie est due aux champignons du genre *Saprolegnia* et *Achyla*.

• *Soins*
On utilise les traitements désinfectants généraux à base de formaldéhyde ou des antimycosiques (*cf.* pages 87 et 88). Il faut aussi appliquer de la Bétadine ou des produits antifongiques sur la lésion.

Mycose des branchies

Le poisson atteint a des mouvements respiratoires plus fréquents, ses opercules sont grands ouverts et il vient respirer à la surface de l'eau ; des masses cotonneuses sont collées à ses branchies.
Les agents en cause sont deux formes de *Branchiomyces* ou bien d'autres *Saprolegniaceae*.

• *Soins*
On administre des produits à base de formaldéhyde, sulfate de cuivre, permanganate de potassium (*cf.* pages 87 et 88).

Maladies dues aux protozoaires

Dermatites

Ce terme regroupe des maladies dont la symptomatologie est assez proche et l'on ne peut effectuer de diagnostic précis qu'en examinant au microscope, par la technique des bandes[1], des extraits des branchies et de l'épiderme.

1. La bande est la préparation à l'examen microscopique. On place les éléments à examiner, découpés en bande, sur des petites lamelles de verre.

Les poissons atteints se recouvrent d'un voile trouble, visqueux, que l'on voit mieux sur des poissons à la coloration foncée. Ils nagent en oscillant ou bien par saccades et se frottent souvent contre les ornements présents dans l'aquarium. Dans certains cas, ils viennent respirer en surface.
Ces parasitoses sont communément désignées sous le nom de « maladie du poisson faible », parce qu'elles touchent uniquement des poissons affaiblis par le stress ou par une mauvaise alimentation. Les animaux en bonne santé attaqués par un de ces protozoaires ne manifestent aucun symptôme.
Le pronostic n'est pas toujours fatal si les soins interviennent à temps.

• *Soins*
On obtient de très bons résultats en administrant des antiseptiques à base de formaldéhyde dans l'eau du bassin (*cf.* pages 87 et 88).

Ichthyophthiriose
ou maladie des points blancs

Des points blancs de la taille d'une tête d'épingle apparaissent sur le poisson. Au début, ils sont peu nombreux (3 ou 4 par poisson) mais peuvent proliférer en quelques jours. Le poisson atteint se défend en produisant davantage de mucus mais aucune amélioration ne se produit. L'attitude du poisson peut toutefois aider à effectuer le diagnostic : en effet, les poissons malades nagent en serrant leurs nageoires, effectuent des mouvements ondulatoires et se frottent de temps en temps sur les objets d'ornement de l'aquarium.
La cause de cette maladie est *Ichthyophtyrius multifilis*. Le pronostic varie en fonction de l'état du poisson et de la rapidité d'intervention de l'aquariophile.

• *Soins*
On peut intervenir avec du bleu de méthylène (0,01 g/5 l d'eau). Au cours des premières phases de la maladie, on peut aussi augmenter de quelques degrés la tempéra-

ture de l'eau du bassin. En revanche, si l'animal est sérieusement touché, il faut se contenter d'utiliser du bleu de méthylène (*cf.* pages 87 et 88). Si l'on retire tous les poissons de l'aquarium, ces protozoaires meurent en 3 ou 4 jours.

Oodiniose ou maladie du velours

Cette maladie se manifeste par l'apparition d'une patine opaque, dont l'aspect rappelle celui du velours, sur une partie ou l'ensemble du corps du poisson touché. Ce phénomène peut aussi concerner les nageoires et les branchies : dans ce dernier cas, cette localisation provoque une altération de la respiration et la mort. Certaines portions de peau peuvent se détacher avec la formation d'ulcères.
Cette maladie peut durer quelques semaines avant de provoquer la mort du poisson. La cause en est *Oodinium pillularis*.

• *Soins*
On peut essayer d'augmenter la température jusqu'à 33-34 °C pendant trois jours, en n'oubliant pas d'oxygéner abondamment l'eau (les discus supportent bien les hausses thermiques).
Du point de vue pharmacologique, on peut intervenir avec du sulfate de cuivre (0,2 g/100 l d'eau). Le bleu de méthylène, utilisé pendant deux ou trois jours à 1 % peut aussi être une bonne solution. À la place, on peut effectuer des bains de désinfectant (*cf.* pages 87 et 88) ou utiliser d'autres produits spécifiques que l'on trouve dans le commerce.

Hexamitose ou maladie du trou

Cette maladie tire son nom du fait que, quand elle est à un stade avancé, des trous se forment au-dessus des yeux : il en sort du mucus blanchâtre qui provient de la nécrose des muscles de la tête. En général, cette maladie produit des dysfonctionnements intestinaux entraînant la formation de selles blanches, des phénomènes d'hydropisie, d'inappétence, un obscurcissement de la livrée et la mort du poisson.
On pensait il y a encore peu de temps que

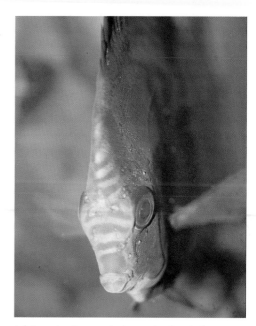

Lésions typiques de la maladie du trou

le discus était porteur sain de cette maladie, mais on s'est aperçu récemment que les dégâts qu'elle provoque proviennent de la carence en calcium et en vitamine D. En outre, les flagellés responsables n'appartiendraient pas au genre *Hexamita* mais à celui du *Spironucleus*.
Le discus est considéré par tout le monde comme le poisson le plus sensible à la présence de ces flagellés dans son organisme.

• *Soins*
Dans les aquariums contenant des discus, des scalaires et d'autres Cichlidés, il faut agir préventivement par des bains désinfectants. Toutefois, selon les spécialistes qui mettent en cause les carences alimentaires, on pourrait soigner cette maladie en administrant aux poissons du calcium et de la vitamine D.

Maladies dues aux métazoaires

Gyrodactylose et Dactylogyrose

Le poisson effectue des mouvements qui ressemblent à des bâillements et il se frotte contre les objets présents dans l'aquarium.

Un « bâillement » provoqué par les vers des branchies

Ce comportement est dû à des vers qui vivent sur sa peau et qui, en cas d'attaque massive, peuvent être très dangereux pour ses branchies.

• *Soins*

On administre du Néguvon poudre à usage vétérinaire (1 mg/1 l d'eau) ou bien d'autres produits utilisant ce même composé.

Comme tous les discus ne supportent pas ce médicament, on a effectué récemment quelques expériences sur l'administration d'un nouveau médicament anthelmintique à usage vétérinaire à base de Praziquantel. On dilue 200 mg de ce médicament dans 10 ml de diméthylsulfoxyde pour 100 l d'eau. Cette préparation présente l'avantage de ne pas altérer les bactéries du filtre ni les paramètres chimiques de l'eau, même si cette dernière prend une odeur très désagréable.

Le seul inconvénient de ce médicament, c'est sa lenteur d'action : en effet les vers ne commencent à mourir qu'au bout d'une semaine d'administration. Il faut également souligner que cette préparation tue les œufs présents dans l'aquarium.

On tente actuellement d'utiliser un traitement associé (avec un autre médicament anthelmintique à usage vétérinaire) pour préserver les œufs, mais je ne connais pas son efficacité réelle.

Nématodes et Cestodes

Les poissons, souvent récemment importés, maigrissent et ne mangent pas.

Pour obtenir un diagnostic sûr, il est préférable de porter les selles dans un laboratoire d'analyses vétérinaire. On pourra alors identifier avec certitude les vers ronds et plats qui affectent fréquemment les discus.

• *Soins*

Les médicaments utilisés pour guérir une infection sont le Lévamisole et le Praziquantel, administrés une fois que les analyses ont déterminé s'il s'agissait de nématodes ou de cestodes.

Un discus avec des parasites intestinaux : on note l'aspect des selles

Camallanus cotti

Ce ver à l'appareil buccal particulier est responsable d'une maladie assez fréquente. C'est un parasite de la partie terminale de l'intestin des poissons. Il s'accroche dans la muqueuse et, grâce à la longueur de son corps, ressort par l'orifice anal.

• *Soins*
Il est très important de ne pas essayer d'extraire le ver avec des pinces : cela pourrait provoquer de gros dégâts dans l'intestin du poisson.
On peut en revanche utiliser à plusieurs reprises du Néguvon (1 mg/1 l d'eau) pour sauver le sujet atteint (*cf.* pages 87 et 88).

Pathologie de la vessie natatoire

Maladies dues aux crustacés

Les symptômes sont l'hypersécrétion de mucus, la dégénérescence de la peau et l'apparition de rougeurs. Parmi les crustacés qui s'attaquent aux poissons, on peut citer l'*Argulus*, la *Lernaea* et les *Copepodi*. On peut les voir s'accrocher à la peau du poisson quand celui-ci en est affecté.

• *Soins*
On peut essayer de les retirer à la main mais il est préférable de suivre le même traitement que celui préconisé contre le *Gyrodactylus* et le *Camallanus cotti* (*cf.* pages 87 et 88).

Autres pathologies

Maladie de la vessie natatoire

Le discus atteint par cette maladie de plus en plus courante se remarque vite par l'attitude qu'il adopte. Selon la partie de la vessie natatoire qui est atteinte, il y a deux cadres symptomatiques possibles : le poisson réussit à flotter et il se couche alors sur le côté ou bien ne parvient pas à trouver l'équilibre et nage la tête en bas. Dans les deux cas, le poisson parvient à rester dans la bonne posture pendant quelques secondes avec l'aide de ses nageoires latérales, mais en faisant beaucoup d'effort (en général pendant qu'il mange).

Il s'agit d'une inflammation d'une partie de la vessie appelée zone ovale, qui régule par l'intermédiaire d'un muscle, le sphincter annulaire, la quantité de gaz présente dans la vessie natatoire. Dans le premier cas, l'inflammation provoque une perte de gaz plus importante que la normale ; dans le second cas, le gaz produit par la vessie ne peut pas sortir et la vessie, qui continue à produire du gaz, se transforme en « ballon » et finit souvent par se déchirer avec les conséquences que l'on imagine.

• *Soins*
Le traitement recommandé est à base d'antibiotiques (CAF et Tétracycline). Si la vessie se gonfle à nouveau, il est possible d'essayer de la dégonfler en la perçant avec une aiguille. C'est souvent la rapidité d'intervention qui permet d'obtenir les meilleurs résultats.
On ne connaît pas de traitement pour les cas de rupture de la paroi vésicale (*cf.* pages 87 et 88).

Tableau récapitulatif des maladies les plus courantes

Symptômes	Maladie	Cause	Soins	Remarques et pages
excroissances sphériques, nodules	lymphocytose	virus *Lymphocystis* après une mauvaise acclimatation ou un transport traumatisant	il n'existe pas de médicaments spécifiques ; oligo-éléments, vitamines, nourriture fraîche, renouvellements d'eau fréquents ; enlever les kystes (des nageoires)	contagion et évolution lentes ; page 81
saillie anormale de l'œil	exophtalmie	bactérie *Aeromonas punctata*	Tétracycline, pommade ophtalmique	souvent guérissable ; page 81
abdomen gonflé	hydropisie ou ascite	bactérie *Aeromonas punctata* ou bien virus inconnu chez des poissons mal nourris	CAF, baisse de la température de l'eau	se soigne uniquement au cours du stade initial ; page 82
branchies, peau et nageoires abîmées	corrosion des nageoires, des branchies et de la peau	bactéries *Peudomonas*, *Aeromonas* et *Corynebacterium* dans un milieu inadapté	formaldéhyde, antibiotiques	souvent incurable ; possibles infections dues à des mycètes ; page 82
nodules purulents	furonculose	plusieurs bactéries	antibiotiques (CAF, Tétracycline, Sulfamide)	guérison spontanée fréquente ; page 82
dépôt cotonneux	mycose commune	champignons *Chonohococcus columnaris*, *Saprolegnia* et *Achyla*	retrait des dépôts cotonneux et traitement désinfectant ; Bétadine et produits antifongiques	le fait que le « coton » se détache n'est pas un signe de guérison ; page 83
respiration haletante et/ou en surface ; opercules branchials soulevés par des masses cotonneuses	mycose des branchies	champignons *Branchiomyces* et *Saprolegnia*	produits à base de formaldéhyde, sulfate de cuivre, permanganate de potassium	page 83
voile trouble et visqueux ; mouvements saccadés ou oscillants ; frottements ; respiration en surface	dermatites	plusieurs protozoaires après un stress et une malnutrition	antiseptiques à base de formaldéhyde	se soigne dans les premiers stades ; page 83
points blancs, nageoires serrées et mouvements ondulatoires, frottements	ichthyophthiriose (maladie des points blancs)	protozoaire *Ichthyophtyrius multifilis*	bleu de méthylène et élévation de la température de l'eau du bassin	se soigne dans les premiers stades ; page 83
patine opaque de type velours, respiration altérée, ulcères cutanés	oodiniose (maladie du velours)	protozoaire *Oodinium pillularis*	température plus élevée et oxygénation ; sulfate de cuivre ; bleu de méthylène, bains désinfectants	maladie foudroyante si localisée sur les branchies ; page 84
selles blanchâtres, hydropisie, inappétence, trous sur la tête avec émission de mucus	hexamitose (maladie du trou)	protozoaire *Spironucleus* après une carence en calcium et en vitamine D	calcium et vitamine D	page 84
bâillements, frottements	gyrodactylose ; dactylogyrose	métazoaires (vers) *Gyrodactilus* et *Dactilogyrus*	Néguvon	éventuelles conséquences pour les branchies ; page 84
amaigrissement, inappétence	nématodes ; cestodes	métazoaires (vers) Nématodes et Cestodes	Lévamisole et Praziquantel	analyse des selles nécessaire ; page 85
ver qui sort de l'anus	*Camallanus cotti* (ver)	métazoaire (ver) *Camallanus cotti*	Néguvon	ne pas enlever le parasite ; page 86
excès de mucus, rougeurs ; dégénérescence de la peau	crustacés	crustacés *Argulus*, *Lernaea* et *Copepodi*	enlèvement à la main, Néguvon	page 86
posture déséquilibrée, poisson flottant, ou sur le fond de l'aquarium	maladie de la vessie natatoire	inflammation	antibiotiques (CAF, Tétracycline)	les cas de rupture (poisson sur le fond) sont incurables ; page 86

La trousse à pharmacie

Médicament	Posologie normale	Remarques
bleu de méthylène	1 mg/l pendant 7 jours 3 mg/l pendant 7 jours	dans l'aquarium commun dans l'aquarium de quarantaine
CAF	40 mg pendant 10-20 h 500 mg/100 g de nourriture	(bain d'une durée de 20 heures) administrer deux fois par jour pendant 4-5 jours ; provoque des lésions aux plantes
Formaldéhyde 37 %	1cl/45 l trois fois par jour tous les deux jours 5 cl/100 l	avec ce dosage, on peut mélanger le médicament à un produit antifongique que l'on garde à l'obscurité c'est le dosage maximal
Praziquantel	5-10 mg/kg de poids vivant ; renouveler au bout de 15 jours	il peut être pulvérisé dans la pâtée décrite page 59, en respectant le dosage 25 mg/200 g de nourriture
Tétracycline	1 g/100 l pendant 4 jours ; à renouveler tous les jours	ne pas dépasser cette dose ; l'eau peut prendre une couleur rougeâtre

La pharmacie de l'aquariophile

Votre pharmacie doit contenir tout ce qui peut être nécessaire en cas d'urgence, afin de ne pas perdre un temps précieux au moment où vous en avez le plus besoin.

En effet, il ne faut pas oublier que le plus souvent, il faut plusieurs jours avant de s'apercevoir qu'un poisson est atteint par la contagion.

Le tableau ci-contre dresse la liste des médicaments qu'il faut toujours avoir chez soi ainsi que la posologie à respecter, ce qui pourra vous aider à soigner au mieux les maladies les plus courantes. Certains produits ou certaines posologies spécifiques ont d'ailleurs été déjà décrits au cours de ce livre.

LA BONNE UTILISATION DES MÉDICAMENTS

• Quand on veut soigner certaines pathologies, on trouve, selon les livres, des remèdes et des posologies parfois très différents pour une même maladie. Il ne faut toutefois jamais « mélanger » plusieurs types de traitements.

• Après avoir administré un médicament, il est conseillé d'aérer abondamment l'aquarium en utilisant une pierre poreuse et de contrôler fréquemment le comportement des poissons. S'ils montrent des signes d'intolérance, il faut changer une partie de l'eau ou bien déplacer les poissons dans une eau dépourvue de médicament.

• Quand on place des médicaments dans un filtre, celui-ci ne doit pas contenir de charbon actif.

• Quand on utilise des antibiotiques, il est parfois conseillé de bloquer l'arrivée de l'eau traitée dans le filtre.

Conclusion

Finalement, le discus n'est pas aussi difficile à élever que ce que notre culture aquariophile pourrait nous laisser croire. Naturellement, comme avec tous les autres animaux (et pas seulement avec eux !), il faut observer certaines règles, mais comme nous l'avons vu, il ne s'agit pas d'un poisson « impossible ». Je ne voudrais toutefois pas le conseiller à un débutant et encore moins à quelqu'un qui n'a pas le temps de s'en occuper, parce qu'à conditions égales, un aquarium de discus a besoin de changements d'eau plus fréquents et de plus d'attention en général. Ceux d'entre vous qui se lanceront dans cette aventure ne seront pas déçus parce que le discus saura les récompenser de leurs peines. Ce n'est pas pour rien qu'il est considéré comme le « roi » des poissons d'eau douce !

Index analytique

À LIRE ÉGALEMENT
AUX ÉDITIONS DE VECCHI

BIANCHI I. et MARIANI M., *ABC de l'aquarium d'eau douce*, 1995.

BIANCHI I., *L'Aquarium d'eau douce et d'eau de mer*, 1996.

FRANCESCHINI S. et GIULIANI S., *L'Aquarium d'eau douce*, 1996.

MILLEFANTI M., *Les Maladies des poissons d'aquarium*, 1997.

MOJETTA A., *Les Poissons d'aquarium d'eau douce*, 1996.

STEVANI I., *Les Plantes d'aquarium*, 1994.

*Achevé d'imprimer en juin 2006
à Milan, Italie,
sur les presses de Ingraf s.r.l.*

*Dépôt légal : juin 2006
Numéro d'éditeur : 9686*